ERRATA

Page 116 line 6 — delete fig. 122, also page 119 line 27.

Page 118 fig. 125 — add (Exhibited in Montreal and Toronto
only/Oeuvre exposée seulement à Montréal et à Toronto).

Page 142 line 2 — change (fig. 156) to (fig. 152),
also page 139 line 24.

Page 142 line 9 — change to (see fig. 155),
also page 139 line 32 (voir fig. 155).

Page 173 and page 174 figs. 205 and 206 —
The captions are interchanged.

F.H.Varley

A Centennial Exhibition/Une exposition centenaire

Organized by/organisée par
Christopher Varley

The Edmonton Art Gallery

Made possible by/rendue possible par
THE NATIONAL MUSEUMS OF CANADA/LES MUSÉES NATIONAUX DU CANADA
CANADA DEVELOPMENT CORPORATION
/LA CORPORATION DE DÉVELOPPEMENT DU CANADA

Publication Credits

Supervisor of Publications: Sandra Shaul

Design: Andrew M. Tomcik

Typesetting: Imprint Typesetting

Colour separations and black and white half-tone negatives: Graphic Litho-Plate Inc.

Printing: Cliff and Walters Lithographing Co. Ltd.

The Edmonton Art Gallery is a registered, non-profit society supported by memberships and donations, and by grants from the City of Edmonton, Alberta Culture, the Canada Council, and the Museum Assistance Programmes of The National Museums of Canada.

©The Edmonton Art Gallery, 1981
ISBN 0-88950-024-X

The Edmonton Art Gallery
2 Sir Winston Churchill Square
Edmonton, Alberta T5J 2C1

Photo Credits

Agnes Etherington Art Centre: fig. 83
Art Gallery of Greater Victoria: figs. 85, 97, 131, 135, 137, 148
Art Gallery of Hamilton: fig. 203
Art Gallery of Ontario: figs. 11, 14, 16, 20, 35, 44, 54, 69, 80, 110, 139, 146, 160, 167, 180, 186, 196, 200, 207, 209
Beaverbrook Art Gallery: fig. 38
Charles Belair Studio Ltd.: fig. 197
Marjorie Bridges: fig. 49
Canadian War Museums: figs. 18, 19, 30, 36
James Chambers: figs. 124, 143, 175, 179, 199
Powey Chang: fig. 104
John Dean: figs. 46, 101, 106, 130, 150, 152, 155
Drew Photo Service: fig. 64
James Gorman: fig. 138
Tod Greenaway: figs. 27, 29, 32, 47, 71, 74, 78, 87, 102, 105, 113, 119, 129, 134, 145, 204
Kenneth G. Heffel Fine Arts Inc.: fig. 136
W. Edward Hunt: fig. 181
Jones and Morris: fig. 176
Eleanor Lazare: cover, figs. 28, 62, 67, 89, 91, 108, 126, 127, 128, 132, 164, 165, 166, 169, 172, 195
R.A. Lort: fig. 75
Maltwood Art Museum and Art Gallery, University of Victoria: fig. 114
Manuges Galleries Ltd.: fig. 187
Chuck Mathews: fig. 208
Ernest Mayer: figs. 31, 34, 93
Brian Merrett & Jennifer Harper Inc.: figs. 190, 206
McMichael Canadian Collection: figs. 58, 79, 159
Musée des Beaux-Arts, Montreal: figs. 125, 157
National Gallery of Canada: figs. 1, 8, 15, 24, 25, 33, 41, 42, 48, 50, 51, 63, 66, 70, 92, 94, 95, 99, 107, 111, 115, 120, 133, 142
Ron Nelson: figs. 26, 45, 153
National Museums Corporation of Canada: fig. 21
Wm. Notman and Son: fig. 201
Larry Ostram: figs. 52, 100
Provincial Archives of British Columbia: fig. 96
Public Archives Canada: fig. 154, 156
Rodman Hall Art Centre: fig. 149
Philip Ross: fig. 81
Victor Sakuta: fig. 43
Dr. David Shaul: figs. 121, 163
Sheffield City Art Galleries: figs. 5, 7
Sheffield City Polytechnic: fig. 4
Tate Gallery: fig. 10
T.D.F. Artists: fig. 65
Christopher Varley: fig. 194
Peter Varley: figs. 3, 6, 9, 17, 23, 40, 56, 57, 60, 72, 73, 76, 77, 90, 103, 112, 122, 123, 144, 168, 177, 185, 188, 198
Ron Vickers: fig. 59
Vida/Saltmarche: figs. 2, 12, 13, 22, 37, 39, 53, 55, 61, 68, 82, 84, 86, 88, 98, 109, 116, 117, 118, 140, 141, 147, 151, 158, 161, 162, 170, 171, 173, 174, 178, 182, 183, 184, 189, 191, 192, 193, 202, 205

As a dating aid, the first exhibition in which an undated work was included, is given./Comme aide pour la datation des oeuvres, on donne dans les légendes le nom de la première exposition qui comprenait une oeuvre non datée.
Height precedes width in all cases / La hauteur précède la largeur dans tous les cas

Front Cover/Couverture
Mountains, Lynn Valley, c./v. 1935
(see/voir fig. 126)

Contents

Table des matières

Exhibition Itinerary

Itinéraire de l'exposition

Exhibition Itinerary	Itinéraire de l'exposition
The Edmonton Art Gallery	October 16—December 6, 1981 16 octobre—6 décembre 1981
Art Gallery of Greater Victoria	December 18, 1981—January 24, 1982 18 décembre 1981—24 janvier 1982
National Gallery of Canada La Galerie Nationale du Canada	February 12—April 4, 1982 12 février—4 avril 1982
The Montreal Museum of Fine Arts Musée des beaux-arts de Montréal	April 23—May 30, 1982 23 avril—30 mai 1982
Art Gallery of Ontario	September 17—November 13, 1982 17 septembre—13 novembre 1982

Acknowledgements

In the autumn of 1976 I received an invitation from Dennis Reid, then Curator of Post-Confederation Art at The National Gallery of Canada, to write a monograph on F.H. Varley for the *Canadian Artists Series*, published by The National Gallery. I responded enthusiastically, for although I had organized a small exhibition of my grandfather's work for the Burnaby Art Gallery in 1974, I still knew very little about his life or art.

My father, Peter Varley, assisted me in the project through the generous loan of virtually the entire collection of letters, newspaper clippings, tape recorded conversations, and colour slides that he had compiled on Varley several years before. Thus I was given a thorough and unusually intimate introduction to the artist.

But I was young and still compulsively judgemental, and did not give Varley an even chance. The monograph simply did not do him justice. I am therefore thankful for this opportunity to retract and revise some of my earlier stated views.

The present text and exhibition are largely based on the same material that Peter Varley compiled and loaned to me in 1976, and I would like to thank him for assisting me once again. But in the past year I have received help from dozens of other people as well, the first of whom I would like to thank being the collectors who so generously agreed to loan to the exhibition. For many, parting with their artworks for such a long time represents a real sacrifice. I hope that they are as pleased with the exhibition as we are.

I would also like to make special and immediate mention of the donation of letters from F.H. Varley to Vera Weatherbie and related materials that Peter Ohler of Masters Gallery, Calgary, made to the Archives of The Edmonton Art Gallery in December 1980. Their historical importance cannot be underestimated, as will become evident from the text that follows.

Among the curators, librarians, and archivists who provided other information, I would first like to thank Brenda Banks, librarian at The Edmonton Art Gallery, who worked as a virtual research assistant during the early stages of this project. She also helped to organize the section of didactic material that is included in the exhibition itself. Others who made especially important contributions of information include: Dennis Reid, now Curator of Historical Canadian Art at the Art Gallery of Ontario; Charles C. Hill, Curator of Post-Confederation Art at The National Gallery of Canada, who allowed me to search through the Gallery's archival files and sent me photocopies of correspondence that I was unaware of; John Kirby, Librarian, Sheffield City Polytechnic, who sent me material on Varley's early life and course work at the Sheffield School of Art; Dr. Guido Persoons, Scientific Librarian, National hoger instituut en koninklijke academie voor schone kunsten, Antwerp, who provided me with Varley's school records from the Académie Royale des Beaux-Arts in Antwerp; Barbara Wilson, Military Specialist, State and Military Records, Federal Archives Division, Public Archives of Canada, who brought to light a wealth of new information on Varley's participation in the Canadian War Records; Hunter Bishop, Archivist/Librarian, The Arts and Letters Club, and Diana Myers of the library of the Ontario College of Art in Toronto, for telling me more of Varley's activities in Toronto during the teens and twenties; Nora Blair, Assistant Librarian, Vancouver Art Gallery, C.G. Gosbee, Head of Communication Services, Board of School Trustees of School District No. 39 (Vancouver), and Lois Redman, Gallery Assistant, The Charles H. Scott Gallery, Emily Carr College of Art, for clearing up a number of questions concerning Varley's years in Vancouver. Other librarians and archivists who helped me in various ways include: Claude Bissell of Massey College; Sharon Chickaneff, Librarian, San Francisco Art Institute; Parise Côté, Assistant to the Secretary, The Canada Council; Helen Coy, Curator, FitzGerald Study Centre, University of Manitoba; Elizabeth de Fato, Librarian, Seattle Art Museum; R. Scott James, Director of Records and City Archivist, Toronto; Margaret S. Machell, Keeper of The Grange/Archivist, Art Gallery of Ontario; Jane Nelson, Librarian, The Fine Arts Museums of San Francisco; Constance-Anne Parker, Librarian, Royal Academy of Arts, London; and Grace Ryan, Librarian/Archivist, McMichael Canadian Collection, Kleinburg.

Individuals who gave me special assistance include: Miss E.M. Arnott, Principal, Daniel McIntyre Collegiate Institute, Winnipeg; Molly Bobak; Roger Boulet and John Crabb, who told me of W.J. Phillips' interest in Varley; Marjorie Bridges, Arthur Lismer's daughter, who gave me new information

Remerciements

À l'automne 1976, Dennis Reid, alors conservateur de l'art canadien de l'époque post-confédérale à la Galerie nationale du Canada, m'a invité à écrire une monographie sur F.H. Varley pour la Collection des *Artistes Canadiens*, publiée par la Galerie nationale. J'ai accepté avec enthousiasme car, jusqu'alors, je n'avais fait qu'organiser, en 1974, une petite exposition de l'oeuvre de mon grand-père, pour la Burnaby Art Gallery et, à cette époque-là, je connaissais encore assez mal sa vie et son art.

Mon père, Peter Varley, m'a aidé dans ce projet en me prêtant généreusement presque toute la collection de lettres, de coupures de presse, d'entretiens enregistrés sur bande magnétique et de diapositives en couleurs au sujet de Varley qu'il avait réunis plusieurs années auparavant. Ainsi, j'ai joui d'une introduction exceptionnellement intime à l'oeuvre de cet artiste.

Pourtant, j'étais encore jeune et trop prêt à me poser en juge des autres; je n'ai pas évalué équitablement l'oeuvre de Varley. Tout simplement, ma monographie n'a pas fait valoir son talent. Je suis donc reconnaissant d'avoir cette occasion de rétracter ou de corriger certaines des opinions que j'ai exprimées antérieurement.

Ce texte et la présente exposition se basent en grande mesure sur la même documentation que Peter Varley avait rassemblée et m'avait prêtée en 1976; et je tiens à le remercier encore une fois de son appui. En plus, au cours de l'année passée, plusieurs douzaines de personnes ont bien voulu me prêter leur concours. En premier lieu, je voudrais remercier les collectionneurs qui ont si généreusement accepté de nous prêter les oeuvres en leur possession. Pour beaucoup d'entre eux, se séparer de ces oeuvres pour une si longue durée représente un réel sacrifice. J'espère que cette exposition leur fera autant plaisir qu'à nous.

Je désire aussi remercier tout spécialement Peter Ohler de la Masters Gallery à Calgary qui, en décembre 1980, a fait don aux Archives de l'Edmonton Art Gallery des lettres que F.H. Varley avait écrites à Vera Weatherbie et des documents ayant rapport à cette correspondance. Le texte qui suit rendra très évident que l'on ne peut pas en sous-estimer la valeur historique.

Parmi les conservateurs, les bibliothécaires et les archivistes qui m'ont fourni d'autres renseignements, je désire premièrement remercier Brenda Banks, bibliothécaire à l'Edmonton Art Gallery qui, pendant la période des débuts de ce projet, a joué, en réalité, le rôle de mon assistante de recherche. Elle m'a aidé aussi à organiser la documentation didactique qui fait partie intégrante de cette exposition. D'autres personnes ont contribué des informations importantes: Dennis Reid, actuellement conservateur de l'art canadien historique à l'Art Gallery of Ontario; Charles C. Hill, conservateur de l'art canadien de l'époque post-confédérale à la Galerie nationale du Canada, qui m'a permis de fouiller dans les dossiers des archives de la Galerie et qui m'a fait parvenir des copies de lettres dont j'ignorais l'existence; John Kirby, bibliothécaire à la Sheffield City Polytechnic, qui m'a envoyé des documents se rapportant à la jeunesse de Varley et aux cours qu'il avait suivis à la Sheffield School of Art; Dr Guido Persoons, bibliothécaire en matière de sciences au "National hoger instituut en koninklijke academie voor schone kunsten" à Anvers, qui m'a communiqué le dossier académique de Varley lors de ses études à l'Académie Royale des Beaux-Arts, à Anvers; Barbara Wilson, spécialiste militaire aux Archives militaires et d'Etat, Division des Archives fédérales, Archives publiques du Canada, qui a déterré une grande quantité d'informations inédites au sujet de la participation de Varley aux Archives de guerre du Canada; Hunter Bishop, archiviste/bibliothécaire à l'"Arts and Letters Club," et Diana Myers de la Bibliothèque de l'Ontario College of Art, à Toronto, qui m'a fourni des renseignements supplémentaires sur les activités de Varley à Toronto de 1912 à 1926; Nora Blair, bibliothécaire adjointe à la Vancouver Art Gallery; C.G. Gosbie, chef des Services de communication à la Commission scolaire du district no. 39 (Vancouver); et Lois Redman, assistante à la Charles H. Scott Gallery de l'Emily Carr College of Art, qui m'a éclairci sur plusieurs questions concernant les années que Varley avait passées à Vancouver. D'autres bibliothécaires et archivistes m'ont aidé de diverses façons: Claude Bissell de Massey College; Sharon Chickaneff, bibliothécaire au San Francisco Art Institute; Parise Côté, adjointe au secrétaire du Conseil des Arts; Helen Coy, conservatrice au FitzGerald Study Centre de l'Université du Manitoba; Elizabeth de Fato, bibliothécaire au Seattle Art Museum; R. Scott James, directeur des registres publics et

5

about Varley's early life in Sheffield; Tom Daly, producer of the N.F.B. film "Varley", who retrieved correspondence and explained the film's making; Dorothy Farr, Curator, and Frances K. Smith, Curator Emeritus, Agnes Etherington Art Centre, Queen's University, Kingston; Johanne Lamoureux; Linda Milrod, Director, Dalhousie Art Gallery, Halifax; Gordon Rice; Doris Shadbolt; Margaret and Philip Surrey, who knew Varley well during the thirties; Ian Thom, Chief Curator, Art Gallery of Greater Victoria; and the late Margaret Williams, a former student of Varley and Registrar of the B.C. College of Arts.

Special thanks should also go to Terry Fenton, Kathleen McKay, Louis and Saul Muhlstock, Sandra Shaul, and Peter Varley for reading the first draft of the following essay. Kathleen McKay's and Peter Varley's comments were especially enlightening, for they knew and lived with the artist for many years.

Finally, I would like to thank: Sandra Shaul, Supervisor of Publications at The Edmonton Art Gallery for overseeing the editing and production of this splendid catalogue; Dr. Charles Moore and Marc Coulavin, from the University of Alberta, for translating it; National Museums of Canada, Canada Development Corporation, and the following individuals for having so generously provided the funds for this project: John Band, John Crabb, Kenneth Heffel, Hazel Hett, Blair Laing, John Moore, Joseph Shoctor, and Jennings D. Young. Arts and Communications Counselors more than ably represented our corporate donor.

C.V.

archiviste de la Ville de Toronto; Margaret S. Machell, "Keeper of The Grange"/archiviste à l'Art Gallery of Ontario; Jane Nelson, bibliothécaire aux Fine Arts Museums of San Francisco; Constance-Anne Parker, bibliothécaire à la Royal Academy of Arts, Londres; et Grace Ryan, bibliothécaire/archiviste à la McMichael Canadian Collection, Kleinburg. Bon nombre de particuliers m'ont apporté une aide spéciale: Mlle E.M. Arnott, directrice du Daniel McIntyre Collegiate Institute, Winnipeg; Molly Bobak; Roger Boulet et John Crabb, qui m'ont parlé de l'intérêt que W.J. Phillips portait à l'oeuvre de Varley; Marjorie Bridges, fille d'Arthur Lismer, qui m'a donné des renseignements inédits sur la jeunesse de Varley à Sheffield; Tom Daly, réalisateur du film "Varley" de l'O.N.F., qui m'a retrouvé des lettres et m'a expliqué la façon dont ce film avait été réalisé; Dorothy Farr, conservatrice, et Frances K. Smith, conservatrice honoraire, à l'Agnes Etherington Art Centre, Queen's University, Kingston; Johanne Lamoureux; Linda Milrod, Directrice, Dalhousie Art Gallery, Halifax; Gordon Rice; Doris Shadbolt; Margaret et Philip Surrey, qui ont connu Varley pendant les années trente; Ian Thom, conservateur en chef à l'Art Gallery of Greater Victoria; et Margaret Williams (décédée), ancienne étudiante de Varley et secrétaire générale du B.C. College of Arts.

Je tiens aussi à remercier tout particulièrement Terry Fenton, Kathleen McKay, Louis et Saul Muhlstock, Sandra Shaul et Peter Varley d'avoir bien voulu lire le premier jet du texte de l'essai qui suit. Les commentaires de Kathleen McKay et de Peter Varley m'ont été exceptionnellement informatifs, car ces deux personnes ont connu l'artiste et ont vécu avec lui pendant bien des années.

Je désire enfin exprimer mes remerciements à Sandra Shaul, directrice du Service d'édition à l'Edmonton Art Gallery, d'avoir dirigé la préparation et la publication de ce magnifique catalogue; au Dr Charles Moore et à Marc Coulavin de l'Université de l'Alberta d'en avoir fait la traduction française; aux Musées nationaux du Canada, à la Corporation de développement du Canada et aux particuliers suivants d'avoir si généreusement fourni les fonds nécessaires pour ce projet: John Band, John Crabb, Kenneth Heffel, Hazel Hett, Blair Laing, John Moore, Joseph Shoctor, et Jennings D. Young. La compagnie "Arts and Communications Counselors" a très efficacement représenté notre bienfaiteur corporatif.

C.V.

MESSAGE FROM THE CANADA DEVELOPMENT CORPORATION
MESSAGE DE LA CORPORATION DE DEVELOPPEMENT DU CANADA

Canada Development Corporation was established ten years ago. It is a unique enterprise through which Canadians work together to build a better future by using their savings to develop profitable enterprises. In order to build a better future, however, we must understand our country's traditions as well as its prospects. Our ability to comprehend where we are capable of going depends in no small way on our capacity to understand where we have been.

Thus, to us at CDC there is no conflict between being committed to fostering Canada's economic future, and dedicated to respecting its cultural past. For this reason, we take pride in helping to bring FREDERICK VARLEY: A CENTENNIAL EXHIBITION to Canadian viewers in five centres across the country.

Our role is but a small one in this project. We are pleased to join the National Museums of Canada in sponsoring this exhibition, and we want to thank them and the organizers—The Edmonton Art Gallery and Christopher Varley—as well as the numerous public and private lenders of Frederick Varley's work who have helped make this exciting enterprise a reality.

H. Anthony Hampson
President and Chief Executive Officer

La Corporation de développement du Canada a été créée il y a dix ans. Cette entreprise unique en son genre invite les Canadiens à collaborer pour bâtir un avenir meilleur en investissant leurs économies en vue de mettre en valeur des entreprises rentables. Toutefois, pour bâtir un avenir meilleur, il nous faut comprendre les traditions de notre pays aussi bien que ses perspectives. Pour savoir comment envisager l'avenir, il faut connaître les événements qui ont jalonné le passé.

La CDC ne voit aucune contradiction entre son engagement à promouvoir l'avenir économique du Canada et son dévouement à respecter le patrimoine culturel. C'est pourquoi, nous sommes fiers d'aider à présenter F.H. VARLEY: UNE EXPOSITION CENTENAIRE au public canadien dans cinq grandes villes du pays.

Nous ne jouons dans ce projet qu'un rôle mineur. Nous sommes heureux de nous joindre aux Musées nationaux du Canada pour patronner cette exposition et nous voulons les remercier ainsi que les organisateurs—Edmonton Art Gallery et Christopher Varley—et les nombreux prêteurs publics et privés des tableaux de Frederick Varley, qui ont permis de réaliser cette merveilleuse entreprise.

le président et chef de la direction,
H. Anthony Hampson

ARTIST AWAKE
OR BE
FOREVER
FALLEN

ARTISTE
REVEILLE–TOI
OU TU SERAIS
A JAMAIS PERDU

1. *Self-Portrait*, 1919
(see/voir fig. 42)

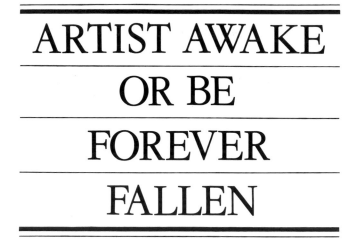

ARTIST AWAKE OR BE FOREVER FALLEN

Introduction

Frederick Horsman Varley was one of those brilliant little sparks cast into the twentieth century by the Victorian age. Like many children of Victorian culture, he was essentially an amateur with wide ranging interests and an insatiable curiosity. His exploration of the world was idiosyncratic and sometimes inconclusive. He constantly probed and poked at his art, for he distrusted anything that smacked of glibness or facility, and thought of painting primarily as a forum for furthering his understanding and testing ideas. "Artist Awake or be Forever Fallen", read the sign in one of his studios.[1]

He was bedazzled by the splendour of the world, and exasperated by his fellow man, who seemed to take such little pleasure in it. Independent, and sometimes reckless, he spent his life in uncomfortable co-existence with a society that did not share his views and placed little value on his work. Often lonely, he sought replenishment in art, music, companionship, drinking, humour—anything that helped revive his optimistic yet frequently daunted spirits.

His artistic outlook was deeply rooted in the traditions of nineteenth-century English painting. Romantic, introspective, and prone to idealism and sentimentality, he shared much with his predecessors and peers. Like his distant relation, the watercolourist John Varley, he was cheerful and provocative. And like his beloved J.M.W. Turner, or his near contemporaries, the composers Delius and Vaughan Williams, his view of the world was deeply personal and tinged with mysticism. Varley also shared with Elie Faure, his favourite art historian, a distrust of the apparent showmanship of much early twentieth-century French modernism,[2] and whereas Braque and Picasso transcended and literally replaced the past, he remained fundamentally bound to it. Cézanne was, however, a major influence on both the composition and "colour modelling" of his mature work, and there is no doubt that Varley took his aphorism to heart: "When colour attains its richness, form attains its plenitude."[3] Although he was certainly familiar with Cubism, he could not resolve the conflict between its inherent planar flatness and his own devotion to form. When he criticized Picasso, it was for "tearing the world apart",[4] as if the Cubists' disassembling of form was a purely arbitrary and iconoclastic act.

What distinguishes Varley is the vitality with which he kept the English romantic tradition alive. The symbolic and sentimental undertones of this art led him to flirt with modern Expressionism and early Chinese landscape painting, but he remained true to its pantheistic spirit to the end.

ARTISTE REVEILLE–TOI OU TU SERAIS A JAMAIS PERDU

Introduction

Frederick Horsman Varley était une de ces étincelles brillantes projetée dans le vingtième siècle par l'époque victorienne. Il était, comme de nombreux enfants de la culture victorienne, surtout un amateur ayant des intérêts très divers et une curiosité insatiable. Son exploration du monde fut très personnelle et parfois sans résultats. Il bricolait, triturait constamment ses oeuvres car il se méfiait énormément de tout ce qui sentait la facilité et l'artifice, et voyait la peinture surtout comme un moyen d'élargir ses connaissances et comme un milieu d'essai pour ses idées. Dans un de ses ateliers on pouvait lire la phrase suivante sur un écriteau: "Artiste réveille-toi ou tu seras à jamais perdu."[1]

Il était ébloui par la beauté du monde qui l'entourait et exaspéré par son congénère qui semblait y trouver si peu de plaisir. Individualiste et quelquefois un peu débridé, sa vie se passa en coexistence difficile avec une société qui ne partageait pas ses opinions et accordait peu de valeur à ses oeuvres. Il se sentait souvent seul et se consolait par l'art, la musique, la compagnie, par l'humour, par l'alcool, bref, par tout ce qui pouvait lui remonter le moral qui, malgré son optimisme général, était fréquemment en baisse.

Ses vues artistiques étaient profondément ancrées dans les traditions de la peinture anglaise du XIXe siècle. Il possédait de nombreux traits en commun avec ses prédécesseurs et ses contemporains: il était romantique, porté à l'introspection, à l'idéalisme et à la sentimentalité. Tout comme l'aquarelliste John Varley, un membre éloigné de sa famille, il était gai, aggressif et naïf en même temps. Et comme son cher J.M.W. Turner ou ses proches contemporains, les compositeurs Delius et Vaughan Williams, sa vision du monde était profondément personnelle et teintée de mysticisme. Varley partageait aussi avec son historien d'art préféré, Elie Faure, une méfiance envers la tendance apparente d'un bon nombre de modernistes français du début du XXe siècle à épater le public;[2] tandis que Braque et Picasso avaient dépassé et carrément remplacé le passé, il y restait profondément attaché. Cézanne, par contre, fut une influence majeure à la fois sur la composition et sur la "plastique des couleurs" des oeuvres de maturité de Varley et il n'y a aucun doute que l'aphorisme suivant lui était cher: "Quand la couleur est à sa richesse, la forme est à sa plénitude."[3] Tout en connaissant le Cubisme, il n'arrivait pas pourtant à concilier son manque de profondeur inhérent avec son propre dévouement à la forme. Lorsqu'il critiquait Picasso, c'était pour lui reprocher de "réduire le monde en miettes,"[4] comme si le démontage de la forme auquel se livraient les Cubistes n'était qu'un acte arbitraire et iconoclaste. Ce qui distingue Varley, c'est l'ardeur qu'il a mise à préserver la tradition romantique anglaise. Le courant profond d'éléments symboliques et affectifs qui caractérisait cet art l'a mené à goûter de l'Expressionnisme moderne et de la peinture de paysage chinoise des premiers temps, mais jusqu'au bout il est resté fidèle à l'esprit panthéiste de l'art romantique.

THE EARLY YEARS 1881–1918 LES ANNÉES DE JEUNESSE

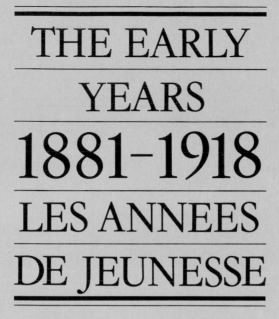

2. *Country Lane, Yorkshire*, c. / v. 1909 pencil and watercolour on paper / crayon et aquarelle sur papier, 28.4 x 39.3 cm Private / Collection / privée, Toronto

The story of Varley's life is fascinating, and will add to our understanding of his art. He was born in Sheffield, England, on January 2, 1881, the youngest of four children in an upwardly mobile household. His father, Samuel Joseph Bloom Varley, was a commercial lithographer who made the illustrations for Henry Seebohm's *Coloured Figures of The Eggs of British Birds*, published in 1896.[5] He was an unhappy figure who encouraged his children to make the most of their lives but had great difficulty communicating with them. Young Frederick felt closer to his protective mother, for he was a sensitive child who from an early age had difficulty adjusting to the strict dictates and utilitarian values of the High Victorian age.[6]

Like many North Country inhabitants, the Varleys were religious non-conformists—members of the Congregational Church. Frederick sang in the choir, where his life long love of music may have been first awakened. Yet he chafed at attending church, and left while still quite young to conduct his own prayer meetings with friends on the moors around Sheffield.

Throughout his life, his spiritual search would be intense and troubling, but he found peace on the moors and developed a great love for nature. Whereas he could never reconcile the relationship of God and Mammon in organized religion, he recognized God's work in every flower and thistle, and was transfixed by the desolate beauty of the countryside around him.

But the city also fed his imagination. In fact, Varley never left one for long. People were far too engaging. From the time of his youth, he was a great conversationalist who read widely and took an active interest in history and current events. Never a "snob", he counted individuals from diverse walks of life among his friends.

His early interest in drawing led his father to encourage him to enter the Sheffield School of Art. Thus in 1892, at the age of 11, Frederick Varley's other formal studies came to an early end so that he could be channeled into a programme designed to train him for employment as an illustrator or as a designer for local industry. Not entirely happy with this arrangement, he continued to read and to study a wide range of other subjects on his own.

He did not immediately distinguish himself at art school, but gained his elementary certificates in light and shade drawing and in modelling, without apparent difficulty, in 1895. The following year he received further certificates in drawing from the antique, and, at the advanced level, in model drawing, freehand drawing, and shading from the cast. In 1898 he was awarded a scholarship that paid his fees for the following year and he began his first painting classes.[7]

Henry Archer, his first instructor in drawing from the human figure, sparked his interest in course work. "Every morning," Varley recalled "he took me to a [cast] torso of Phideus or a slave or [Michelangelo's] David—and made me feel their form with my hands, and every morning made me draw them until

3. Still Life—Jar, Basket and Bottle, c. /v. 1898
ink on paper / encre sur papier, 22 x 29.5 cm
present whereabouts unknown / propriétaire actuel inconnu

4. A Class in the Sheffield School of Art, 1890s / Une classe à la Sheffield School of Art dans les années 1890

La vie de Varley est fascinante et nous aidera à mieux comprendre son oeuvre artistique. Il est né à Sheffield en Grande Bretagne, le 2 janvier 1881. Il était le benjamin d'une famille de quatre enfants appartenant à la classe moyenne montante. Samuel Joseph Bloom Varley, son père, était lithographe commercial et compte parmi ses travaux les illustrations du livre de Henry Seebohm *Coloured Figures of the Eggs of British Birds*, publié en 1896.[5] C'était un homme assez malheureux qui encouragea ses enfants à profiter de la vie au maximum mais qui avait beaucoup de mal à communiquer avec eux. Le jeune Frederick étant d'une nature sensible et ayant eu dès son plus jeune âge du mal à s'adapter aux moeurs strictes et aux valeurs utilitaires de l'âge d'or victorien, se sentait plus proche de sa mère protectrice.[6] Comme de nombreux habitants du Nord de l'Angleterre, les Varley était non-conformistes du point de vue religieux et membres de l'Eglise Congregational. C'est en y chantant comme enfant de choeur que Frederick acquit un amour de la musique qui devait durer toute sa vie. Pourtant, l'église le prenait à rebrousse poil et il cessa d'y aller, alors qu'il était encore assez jeune, pour aller prier avec un cercle d'amis sur la lande autour de Sheffield.

Toute sa vie durant, sa quête spirtuelle fut intense

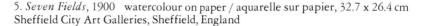

5. *Seven Fields*, 1900 watercolour on paper / aquarelle sur papier, 32.7 x 26.4 cm
Sheffield City Art Galleries, Sheffield, England

6. Académie Royale des Beaux-Arts, Antwerp / Anvers

7. *A Foreign Street*, 1901
watercolour on paper / aquarelle sur papier, 37.3 x 13.7 cm
Sheffield City Art Galleries, Sheffield, England

I could draw them from memory."[8] But he often skipped classes and sketched alone in city parks or on the moors.

A few early works survive. While his classroom exercises in draughtsmanship and composition are tight and competent (fig. 3), his paintings of the parks and moors are of far more interest. These are mostly atmospheric "wet process" watercolours, rendered in a limited range of tonal colours. Most reveal confidence and even a certain panache with the difficult medium, and are notable for their sensitivity and closeness of observation. Yet they all fit passively within the tradition of British watercolour painting and clearly have no relationship to the developments that were transforming the face of art on the other side of the English Channel (fig. 5).

A year after leaving the Sheffield School of Art, Varley enrolled at the Académie Royale des Beaux-Arts in the provincial city of Antwerp, Belgium. Although we may expect an aspiring young artist to have ventured to Paris in 1900, Varley chose Antwerp because of the free tuition and the commercial ties that existed between Sheffield and it. In a farewell gesture, and as an expression of thanks for helping him get across the Channel, he is reputed to have made a portrait drawing of his father in the kitchen of the family home (fig. 8). Although it reveals his technique to be as yet uncertain, it characterizes Samuel Varley's troubled disposition well.

Varley rose quickly to the top of his classes in Antwerp, in his first year winning a second prize in

et troublante mais il trouvait tranquillité d'esprit sur la lande et un grand amour de la nature se développa en lui. Alors qu'il n'arrivait pas à concevoir la relation entre Dieu et Mammon dans le cadre d'une religion organisée, il voyait l'oeuvre de Dieu dans chaque fleur, dans chaque chardon, et il fut bouleversé par la beauté dénudée de la campagne autour de lui.

Mais la ville lui stimulait aussi l'imagination. En fait, il ne la quittait jamais pour longtemps. Il trouvait les gens trop intéressants. Depuis son adolescence, il avait toujours aimé parler; d'autre part, il lisait toute sorte de choses et s'intéressait beaucoup à l'histoire et à l'actualité. Il n'était pas "snob" et comptait parmi ses amis des personnes de toutes les classes sociales.

Son père, constatant son intérêt pour le dessin dès son plus jeune âge, l'encouragea à s'inscrire à la Sheffield School of Art. C'est ainsi qu'en 1892, lorsqu'il avait onze ans, se terminèrent précocement les autres études formelles de Frederick Varley afin qu'il pût aller suivre une voie qui le destinait à des emplois comme illustrateur ou dessinateur pour les industries locales. Mais, étant donné que cet état de choses ne lui plaisait pas complètement, il continua à lire et à étudier seul un large choix de sujets différents.

Il ne se distingua pas immédiatement aux Beaux-Arts mais obtint ses certificats élémentaires en dessin d'ombre et de lumière et en modelage, sans difficultés apparentes, en 1895. L'année suivante, il obtint d'autres certificats en dessin d'imitation et, à un niveau plus avancé, en dessin du modèle vivant, en dessin à main levée et en la technique du dégradé d'après les plâtres. En 1898, on lui accorda une bourse afin de payer ses frais de scolarité pour l'année suivante et il commença à suivre ses premiers cours de peinture.[7]

Son premier professeur de dessin de la forme humaine, Henry Archer, déclencha son intérêt pour les cours. "Tous les matins," racontait Varley, "il m'emmenait auprès [d'un moulage] du torse de Phideus, d'un esclave, ou du David [de Michel-Ange]— et me les faisait toucher de mes mains, et me les faisait dessiner tous les matins tant et si bien que je pouvais le faire de mémoire."[8] Mais il faisait souvent l'école buissonnière et allait faire des études, seul, dans les parcs de la ville ou sur la lande. Certaines de ces oeuvres de jeunesse existent toujours, et bien que ses exercices scolaires de dessin et de composition soient solides, compétents (fig. 3), ses peintures des parcs et de la lande sont bien plus intéressantes. Il s'agit surtout de lavis à l'aquarelle, pleins d'at-

8. *Samuel Joseph Bloom Varley*
(*The artist's father / père de l'artiste*), 1900
charcoal on paper / fusain sur papier, 38.1 x 37 cm
The National Gallery of Canada / La Galerie nationale du Canada
(Exhibited in Ottawa, Montreal and Toronto only / Oeuvre exposée seulement à Ottawa, à Montréal et à Toronto)

mosphère, exécutés dans une gamme de tons limitée. La plupart démontrent une assurance et même un certain brio dans son travail avec ce médium difficile et qui sont remarquables par leur sensibilité et leur finesse d'observation. Et, pourtant, ils cadrent de manière plutôt passive avec la tradition de l'aquarelle britannique et n'ont clairement aucun rapport avec les événements qui étaient en train de révolutionner l'art de l'autre côté de la Manche (fig. 5).

Un an après avoir quitté la Sheffield School of Art, Varley s'inscrivit à l'Académie Royale des Beaux-Arts de la petite ville provinciale d'Anvers, en Belgique. On aurait pu s'attendre à ce qu'en 1900, un jeune artiste plein d'ambition s'aventure à aller à Paris, mais la gratuité des cours et les liens commerciaux entre sa ville natale et Anvers l'y attirèrent. Il

drawing from nature, and in his second year, first prize silver medals for painting and drawing from the human figure.[9] He was lauded by his fellow students, and "chaired" through the streets in celebration of his success. Although he behaved like something of a prig, and spoke harshly of the indolence of his companions,[10] his experience broadened through work on the city's docks, some travel (fig. 7), and first hand study of the Old Masters.

During the late sixteenth and early seventeenth centuries, Antwerp had been the commercial centre of northern Europe. Rubens, Van Dyck, and Jordaens all painted there, and the city had accumulated a wealth of artistic and architectural treasures. Among Varley's favourites was Rubens' *Descent From The Cross* in Antwerp Cathedral. While he disliked the Flemish painter's "sacks of women",[11] he studied Rubens' composition closely,[12] and learned much from his brilliant handling of oil paint.

Varley also studied Buddhism during his years in Belgium.[13] It reinforced his sense of the fragile yet fundamental unity of life, and added to his courage in the face of deprivation. Such an undogmatic religion would have helped to open his eyes further to the beauty of the world, and enhanced his freedom of thought and awakening taste for the foreign and exotic.

He retained many favourable memories of Antwerp, for his success there seemed to guarantee greater prestige and credibility than anything obtainable from the Sheffield School of Art. He often spoke of returning in later years[14] and it was largely upon his recommendation that Arthur Lismer enrolled at the Académie in 1906, and Franklin Carmichael followed both artists to Belgium in 1913.

Varley moved to London shortly after returning to England. There he found work as a commercial illustrator for magazines like *The Gentlewoman*, and possibly tried his hand at writing. He initially earned enough to afford a comfortable flat and furnishings;[15] and judging by the whimsical and slyly subversive character of many of his illustrations, he was filled with youthful confidence and good spirits. Although some are lugubrious and Gothic, many include humourous drawings of animals, which often seem to go about their business with more purpose than their human masters (fig. 9).

But his luck did not hold, and by 1906 he was having trouble obtaining even the most menial commercial work. Too proud to tell his parents of his

9. Illustration for / pour / *The Gentlewoman*, November 14 / 14 novembre 1903

troubles he gave up his flat and literally carried his bed to a poor borough of the city in search of accommodation.[16] He moved frequently during the next two years, often living in destitution, and "drifting in the underworld".[17]

We do not know much of Varley's whereabouts during this period. He preferred not to speak of it in later years, and was rarely in touch with his parents at the time. At one point he appears to have wandered to ports like Hull and Poole, where he worked again as a stevedore. Perhaps he even thought of leaving England. There is no question but that he felt exiled and despondent, and at times must have pondered his own self-worth; yet living hand-to-mouth for weeks at a time may have also toughened his resolve, and when he discovered that he could do it, hardened his sense of independence.

Like Augustus John, his senior by three years, he admired the tenacity of Britain's Gypsies, and probably sought their companionship in the "underworld" within which he moved. Two Gypsy women emerge like apparitions from the night shadows in the c. 1912 watercolour of the hillside behind his Sheffield cottage (fig. 13);[18] and again, in several portraits that he made shortly after World War One a fiercely romantic Gypsy figure appears (fig. 41). Later, he gave some of his young female students and friends Gypsy nicknames, such as "Marilka"[19]—close to the nickname of John's model "Merikli", meaning gem or jewel.

Varley had ample opportunity to see John's entries in the annual New English Art Club exhibitions held

est sensé avoir fait un portrait de son père dans la cuisine familiale comme geste d'adieu et en signe de reconnaissance pour l'aide qu'il lui avait prêtée pour la traversée de la Manche (fig. 8). Bien que sa technique s'y révèle encore incertaine, le caractère troublé de Samuel Varley s'y exprime fort bien.

Rapidement Varley s'éleva au premier rang de sa classe à Anvers, et il remporta le second prix de dessin d'après nature la première année, et le premier prix et les médailles d'argent en peinture et en dessin de la forme humaine la deuxième.[9] Il fut acclamé par ses camarades de classe qui le portèrent en triomphe à travers les rues de la ville pour fêter son triomphe. Bien qu'il fût quelque peu poseur à la vertu et qu'il reprochât à ses camarades leur indolence,[10] il acquit une large expérience grâce à ses emplois aux docks, ses voyages (fig. 7) et son étude directe des vieux maîtres.

Anvers avait été le centre commercial du nord de l'Europe au XVIe et au début du XVIIe; Rubens, Van Dyck et Jordaens, tous y avaient peint et la ville avait accumulé une certaine richesse de trésors artistiques et architecturaux. La *Descente de la Croix* de Rubens qui se trouvait à la cathédrale d'Anvers était parmi les oeuvres préférées de Varley. Malgré le fait que les "sacs de femmes" du peintre flamand ne lui plaisaient pas,[11] il étudia sa composition de près[12] et apprit énormément de sa technique brillante de peinture à l'huile.

Alors qu'il était en Belgique, Varley s'intéressa aussi au bouddhisme,[13] ce qui renforça sa vision de l'unité de la vie—une unité aussi fragile que fondamentale—et accrut son courage pour faire face aux privations. L'absence de dogmes de cette religion aurait pu l'aider en lui ouvrant encore les yeux sur la beauté du monde, en lui permettant de penser encore plus librement et en éveillant en lui un goût de l'exotique.

Il garda de nombreux bons souvenirs d'Anvers, car il semblerait que le succès qu'il y obtint lui garantissait plus de prestige et de crédibilité qu'il n'aurait pu atteindre à la Sheffield School of Art. Plus tard, il devait souvent parler d'y retourner[14] et les inscriptions à l'Académie d'Arthur Lismer, en 1906, et de Franklin Carmichael, qui suivit le même chemin qu'eux en 1913, sont dues pour une grande part à ses recommandations.

Peu après son retour en Angleterre, Varley alla s'installer à Londres. Il y trouva du travail en tant qu'illustrateur commercial auprès de magazines tels

que *The Gentlewoman*, et il se peut même qu'il se soit essayé au métier d'écrivain. Au départ, il gagnait suffisamment pour se permettre un appartement meublé confortablement;[15] et si l'on en juge par le caractère fantaisiste et sournoisement subversif de bon nombre de ses illustrations, on peut penser qu'il était plein de l'entrain et de l'assurance que confère la jeunesse. Malgré l'atmosphère lugubre et gothique de certaines de ces illustrations, beaucoup d'entre elles comportent des dessins entachés d'humour, où les animaux représentés semblent vaquer à leurs affaires avec plus de détermination que leurs maîtres humains (fig. 9).

Mais sa chance ne dura pas et dès 1906 il avait du mal à obtenir même les travaux commerciaux les plus bas. Trop fier pour avouer à ses parents les difficultés qu'il éprouvait, il dut abandonner son appartement et porter, littéralement, son lit jusque dans un quartier plus modeste à la recherche d'un logement.[16] Pendant les deux années suivantes, il déménagea fréquemment et vivait souvent dans la pauvreté la plus absolue et "à la dérive dans les bas fonds."[17]

On ne sait pas très exactement où Varley habita pendant cette période. Plus tard, il préférait ne pas en parler, et à l'époque il ne prenait contact avec ses parents que très rarement. Il semble qu'à un moment au cours de son itinéraire il soit arrivé dans des ports comme Hull et Poole, où il a travaillé de nouveau comme docker. Il se peut même qu'il ait penser à s'expatrier. Une chose est certaine, c'est qu'il se sentait isolé et déprimé et qu'il a dû se poser des questions sur sa propre valeur par moments. Néanmoins, cette survie au jour le jour, des semaines d'affilée, a dû renforcer sa détermination et, quand il s'est rendu compte qu'il en était capable, a dû accroître encore son sens de l'indépendance.

Tout comme Augustus John, son aîné de trois ans, il admirait la ténacité des bohémiens anglais et recherchait sans doute leur compagnie dans les "bas-fonds" où il vivait. Dans son aquarelle d'environ 1912, dépeignant la colline derrière sa maison à Sheffield, deux gitanes fantomatiques semblent jaillir des ténèbres (fig. 13)[18] et de nouveau, juste après la guerre de 1914, une gitane sauvage et romantique apparaît dans une série de portraits (fig. 41). Plus tard il devait donner des surnoms aux consonances bohémiennes à certaines de ses jeunes étudiantes et amies, des noms comme "Marilka",[19] ce qui ressemble de près à celui du modèle de John, "Merilki", qui

in London. There is no doubt that he approved of John's wayfaring subject matter and vigorous Halsian technique. Whistler's circle did not impress him as much at the time. Their tepid aestheticism and world-weary mannerisms were antithetical to his searching spirit.

While no figure painting of Varley's survive from this period, it is clear that John exercised some influence on his style of portraiture. Like John, Varley later placed many of his sitters in outdoor settings, frequently painted children, and by the late twenties began employing a similar palette of cool, clear colours. At first glance, John's portrait of his son *Robin* (fig. 10) might even be mistaken for a work by the Canadian artist.

Varley also became better acquainted with Turner during the London years, and developed a violent dislike of John Ruskin, the art critic of the Victorian establishment, in part because of Ruskin's pedestrian indexing of Turner's paintings according to his own notions of a lower and higher picturesque and "nobler uses" of picturesque subject matter.[20] In Varley's eyes, Turner was the most soulful and spiritual of English painters, and in the last thirty years of his life he borrowed from Turner quite consciously.

In 1908 Varley settled in Doncaster, where his Sheffield sweetheart, Maud Pinder was teaching. The following year, after an intense and happy courtship, they married and moved back to nearby Sheffield. Their first child and only daughter was born in August. Varley took whatever commercial work could be found, at various times doing layouts for the *Yorkshire Post* and apparently teaching outdoor sketching classes, in order to support his family. He certainly held the attention of his immediate peers, and as early as March 7, 1906, the Heeley Art Club, of which Arthur Lismer was a member, invited him to conduct their monthly criticism.

His own watercolours had not changed drastically since art school. Although his relationship to the landscape was more intimate and original, he still tended to predictably contrast light and shade, and had not developed his colour far. Shades of commercial illustration crept into many paintings, like *The Hillside*, mentioned earlier. But consider the leafy delicacy of *Country Lane, Yorkshire* (fig. 2), with the vein-like branch that floats into the picture from the bottom left corner and introduces the scene beyond. It is a work of rare sensibility and high accomplishment.

10. Augustus John, *Robin*, c. / v. 1912
oil on panel / huile sur panneau, 45.1 x 30.5 cm
Tate Gallery, London / Londres
(Not included in the exhibition/Oeuvre qui ne figure pas dans cette exposition)

Varley's decision to emigrate to Canada was entirely due to the opportunities that Arthur Lismer found upon his arrival in the new country in 1911. The two men had known each other since childhood, and one of Varley's oldest and closest Sheffield friends was James Mawson, another member of the Heeley Art Club and brother of Lismer's future wife.[21] When Lismer returned to Sheffield in 1912 to marry, Varley was so encouraged by his stories that he borrowed the fare from Mawson and almost immediately followed Lismer and his bride back to Toronto. It was a desperate move, for a second child had just arrived, and after three years back in his home town Varley still had little prospect of improving his lot.

11. *Landscape*, c. / v. 1908
watercolour on paper / aquarelle sur papier, 26 x 32.4 cm
Art Gallery of Ontario, Toronto. Gift of / Don de / Barker Fairley, 1958

veut dire joyau ou bijou.

Varley eut de nombreuses occasions de voir les contributions que John faisait aux expositions de l'English Art Club, qui se tenaient à Londres. Cela ne fait aucun doute qu'il approuvait les sujets nomades que choisissait John et sa vigoureuse technique semblable à celle de Frans Hals. A l'époque, l'entourage de Whistler l'impressionnait déjà moins. Leur esthétisme tiède et leurs maniérismes blasés allaient à l'encontre de son esprit assoiffé.

Malgré le fait qu'il ne subsiste aucun de ses tableaux datant de cette époque, il est évident que John influença assez son style de portraits. Plus tard, Varley, comme John, devait peindre bon nombre de ses

modèles en plein air, fréquemment peindre des enfants, et vers la fin des années vingt commencer à employer la même gamme de tons frais et clairs. A première vue, on pourrait se tromper et prendre le portrait de son fils, Robin (fig. 10), par John, pour une oeuvre de l'artiste canadien.

Pendant son séjour londonien, Varley élargit également sa connaissance de l'oeuvre de Turner et se prit d'un vif dégoût pour John Ruskin, le critique d'art consacré des classes bien-pensantes victoriennes. Ce fut en partie dû à la façon dont Ruskin avait catégorisé les tableaux de Turner en suivant ses propres conceptions sur le haut pittoresque et le bas pittoresque et sur les "utilisations plus nobles" des

He arrived in Toronto about the beginning of August, and was immediately offered a fortnight's tryout at Grip Limited.[22] In the first letter to his wife, who remained in England for another eight months, he wrote, "I've no fears about our future Maud. The people here are wonderfull [sic], full of willingness to help, in fact, eager to do so.... My welcome undoubtedly has been glorious."[23] A week or two later, two of his small English landscapes and two "illustrations" were accepted for display at the Canadian National Exhibition,[24] and through Lismer he soon got to know the younger and more adventurous members of the art community. In November, he joined The Arts and Letters Club,[25] where he saw much of Lawren Harris and J.E.H. MacDonald, both of whom took interest in his work. The ambition and apparent originality of these artists came as a surprise, and on January 7, 1913, he wrote to his sister Ethel that Canadian art was "a strong lusty child unfettered with rank, musty ideas—possessing a voice that rings sweet and clear...."

Varley did not stay long at Grip, but soon moved on to Rous & Mann, where he befriended Tom Thomson. Years later, he spoke of their relationship as if a "psychic" bond had existed between them.[26] They spent much of their free time conversing, and painted together on several occasions. Varley had no influence on Thomson's development, however, for the latter artist was just beginning to paint and had yet to acquire more than rudimentary skills with his brushes.

Varley did little painting during these first years in

12. *Rural Scene—Yorkshire*, c. / v. 1909
watercolour on paper / aquarelle sur papier,
26.8 x 35.8 cm (sight size/estimation visuelle)
Rosa and Spencer Clark Collection, Toronto

13. *The Hillside*, c. / v. 1912
watercolour on paper / aquarelle sur papier, 44.3 x 32 cm
(sight size / estimation visuelle)
Rosa and Spencer Clark Collection, Toronto

Canada, although he exhibited regularly from the start. Nothing is known of most of these paintings today, and many were undoubtedly destroyed by the artist or lost in his many moves. Most of his time was taken up with commercial work, designing Easter cards and chocolate boxes,[27] and doing a lot of illustrating for *The Canadian Courier* during the late war years. In early 1918 he made a series of drawings for air corps recruiting, some of which are jovial or even sarcastic (figs. 18, 19). He found commercial work "killing",[28] but remained at Rous & Mann until going overseas as a war artist in 1918—something that surprises everyone who knew Varley, for he never outgrew his restlessness. Directories and exhibition catalogues show that he lived at five Toronto addresses between the time of his arrival in Canada and the late spring of 1917 when he finally settled in Thornhill at J.E.H. MacDonald's suggestion.[29]

Varley never had any sense of money or how to save it, and was probably evicted from more than one of these residences for non-payment of rent. Having lived freely, albeit poorly, in London, he found monthly payments of any sort an annoyance, and preferred to spend his money on a new coat or dinner for a friend. His profligate ways caused enormous hardship for his family—which by 1916 had grown to three children—but were essential to his own sense of independence.

While he had little time to devote to painting, he constantly discussed and thought about it, and would have followed Thomson, Jackson, et al, into the north country if he could have managed it. In an undated letter to his sister Ethel, which was written in the late spring or early summer of 1914, he expressed the determination and underlying anxiety that characterized his thinking in the new land:

there is only one *way for me to speak, and that is [through] a more powerful and sincere medium [than commercial illustration].... Somewhere in me I have something aching and gnawing its way out-... soon the time will come when the way is clear, and then I can have the one rest, I hope a long one, when I am able to put down sincerely on canvas what is restless and waking—way back in the lap of the gods. Do you know what I want to express—Happiness. Sunlight. Laughter, quiet happy laughter. I've seen so much of the other side, and everyone has done the same. Why should we live it on canvas as well!... [I] am going to paint some outdoor pictures—portraits—This is an outdoor country...there's a*

small party of us here, the young school, just 5 or 6 of us and we are all working to one big end. We are endeavouring to knock out of us all the preconceived ideas, emptying ourselves of everything except that nature is here in all its greatness, and we are here to gather it and understand it if only we will be clean enough, healthy enough, and humble enough to go to it willing to be taught—and to receive it not as we think it should be, but as it is, and then to put down vigorously and truthfully that which we have culled.... At times I lose heart for it becomes almost unbearable, waiting, waiting, waiting, to be free—My time is so full up with the money work. I could not stick this work if I didn't know there was something better to get to.

Soon after writing this creed for future action, Varley received an invitation from Thomson to join him for some camping that fall in Algonquin Park.[30] Dr. James MacCallum, whose cottage Thomson was visiting when he wrote the letter, later sweetened the invitation with some financial assistance,[31] making it possible for Varley and his wife to join Thomson, Lismer, and Jackson for a month long sketching trip in October 1914. *Indian Summer* (fig. 14) resulted from this expedition. It is one of the outdoor portraits that Varley mentioned planning in the letter quoted above—a depiction of his wife standing in the brilliantly coloured fall landscape. Although the rock forms around her are firmly handled, and the composition itself is cleverly arranged, a commercially illustrative quality pervades the work.

In part because he painted so little, Varley received virtually no public attention during these early years in Canada. He was, however, given a solo exhibition at the Arts and Letters Club in February 1916;[32] and in one way or another, he disposed of a few of his paintings. His first Canadian canvas *The Hillside* (private collection), which was worked up from the Sheffield watercolour with Gypsies in the foreground (fig. 13) was sold in December 1914 at a "Patriotic Fund" auction to raise money for the war;[33] and *Indian Summer* may have gone to Dr. MacCallum as collateral for a debt.[34]

The First World War took much of the steam out of the fledgling Canadian art movement that Varley had written so excitedly about.

He sorely missed Jackson, who went to fight in France, and felt deep loss at the news of Thomson's death in the summer of 1917. Although the two of them did not paint together again after the trip to

sujets en peinture.[20] Turner était, aux yeux de Varley, le plus sensible et le plus métaphysique des peintres anglais, et il lui emprunta consciemment pendant les trente dernières années de sa vie.

En 1908, Varley s'installa à Doncaster où sa petite amie de Sheffield, Maud Pinder, enseignait. L'année suivante, après une cour heureuse et intense, ils se marièrent et revinrent à Sheffield, qui se trouve non loin. Leur premier enfant et unique fille naquit en août. Varley prenait tous les travaux d'art commercial qu'il trouvait pour faire vivre sa famille: à divers moments, il a fait de la mise en page pour le *York-shire Post*, et aurait même donné des cours de dessin en plein air. En tous cas, il s'était certainement attiré l'attention de ses contemporains immédiats car, dès le 7 mars 1906, le Heeley Art Club, dont Arthur Lismer était membre, l'avait invité à venir faire leur critique mensuelle.

Ses propres aquarelles n'avaient pas changé dramatiquement depuis ses jours aux Beaux-Arts. Ses rapports avec les paysages étaient plus étroits et originaux mais son utilisation de la couleur ne s'était pas énormément développée et il avait encore tendance à utiliser de manière prévisible le contraste entre l'ombre et la lumière. Un relent d'illustration commerciale se glissait dans de nombreux tableaux comme *La Colline (The Hillside)*, dont on a déjà fait mention. Mais que l'on regarde le feuillage délicat de *Sentier de campagne, Yorkshire (Country Lane, Yorkshire)* (fig. 2), où la branche qui s'infiltre à partir du coin en bas à gauche, comme une artère, et qui présente la scène à l'arrière-plan, et l'on s'aperçoit qu'il s'agit d'une oeuvre exquise et d'une rare sensibilité.

La décision que Varley prit d'immigrer au Canada fut entièrement fondée sur les ouvertures qu'Arthur Lismer trouva sur le nouveau continent, à son arrivée, en 1911. Ils se connaissaient depuis leur plus tendre jeunesse et James Mawson, un autre membre du Heeley Art Club et futur beau-frère de Lismer, était un des meilleurs amis de Varley à Sheffield.[21] Quand Lismer revint à Sheffield pour se marier, en 1912, ses récits enthousiasmèrent tellement Varley que celui-ci emprunta l'argent pour le voyage à Mawson et suivit de près les jeunes mariés pour aller à Toronto. C'était un geste désespéré car un deuxième enfant venait de naître et, trois ans après son retour dans sa ville natale, son lot ne semblait pas devoir s'améliorer.

Il arriva à Toronto vers le début d'août et on lui offrit aussitôt une période d'essai de quinze jours chez Grip Limited.[22] Dans sa première lettre adressée à sa femme qui allait encore demeurer en Angleterre quelques huit mois, il écrivait: "Ma chère Maud, je ne me fais plus de soucis quant à notre avenir. Les gens ici sont merveilleux, toujours prêts à rendre service, et même désireux de le faire…et l'accueil qu'on m'a réservé a été extrêmement chaleureux à n'en pas douter".[23] Une semaine ou deux après, deux de ses "illustrations" et deux de ses petits paysages anglais avaient été acceptés pour être exposés à l'Exposition nationale du Canada,[24] et grâce à Lismer il avait tôt fait la connaissance des personnes les plus jeunes et les plus aventureuses de la communauté artistique. En novembre, il devint membre du Arts and Letters Club[25] où il fréquentait Lawren Harris et J.E.H. MacDonald, qui s'intéressaient tous deux à ses travaux. Il semble que l'ambition et l'originalité de ces deux artistes le surprenaient car, le 7 janvier 1913, il écrivait à sa soeur Ethel que l'art canadien était "un enfant vigoureux qui ne s'encombrait pas d'idées rétrogrades ou de hiérarchie et dont la voix était douce et cristalline…."

Varley ne resta pas longtemps chez Grip qu'il quitta pour un emploi chez Rous & Mann où Tom Thomson et lui devinrent amis. Bien des années plus tard il en parlait comme s'il avait existé entre eux un lien "psychique".[26] Ils passaient leurs loisirs à discuter et à plusieurs occasions peignirent ensemble. Mais Thomson n'était qu'un novice qui maîtrisait encore mal ses instruments et Varley n'eut pas d'influence sur son évolution.

Pendant ces premières années au Canada, Varley exposait régulièrement dès le début mais peignit peu. On ne sait rien sur la plupart des oeuvres datant de cette période car un grand nombre d'entre elles furent très certainement détruites par l'artiste lui-même ou perdues au cours de ses nombreux déménagements. Il passait le plus clair de son temps à dessiner des motifs pour les boîtes à chocolats ou pour les cartes de Pâques,[27] et à faire des illustrations pendant les dernières années de la guerre, pour le *Canadian Courier*. Début 1918, il fit une série de dessins pour le recrutement de l'armée de l'air; certains sont joviaux et même sarcastiques (figs. 18 et 19). Il trouvait son travail commercial "tuant"[28] mais resta chez Rous & Mann (ce qui surprit tous ceux qui le connaissaient car sa bougeotte ne le quitta jamais) jusqu'à ce qu'il partît à l'étranger, en 1918, comme

14. *Indian Summer*, 1914-15
oil on canvas / huile sur toile
present whereabouts unknown / propriétaire actuel inconnu
ex.: possibly / peut-être / *Autumn*, O.S.A., 1915
Royal Academy, London, 1919
Autumn Exhibition, Brighton, 1919

artiste de guerre. Les annuaires et les catalogues d'exposition montrent que Varley habita à cinq adresses différentes à Toronto entre son arrivée et la fin du printemps de 1917, époque à laquelle il s'installa enfin à Thornhill, sur la proposition de J.E.H. MacDonald.[29]

Varley n'avait jamais le sens de l'argent ou des économies et fut sans doute expulsé à plusieurs reprises pour avoir manqué de payer le loyer. Ayant vécu pauvrement mais sans contraintes à Londres, il trouvait les traites de tous genres ennuyeuses et préférait dépenser son argent en achetant un manteau neuf ou en payant le restaurant à un ami. Ses extravagances rendaient la vie difficile à sa famille (qui comptait trois enfants depuis 1916) mais elles étaient indispensables à son sens de l'indépendance.

Bien qu'il eût peu de temps à consacrer à sa peinture, il en parlait et y pensait constamment et aurait suivi Thomson, Jackson et les autres dans le nord du pays s'il en avait eu la possibilité. Dans une lettre datant sans doute de la fin du printemps ou du début de l'été de 1914, il exprimait à sa sœur Ethel la détermination et l'angoisse qui caractérisaient son état d'esprit dans ce pays nouveau:

Il n'y a pour moi qu'une seule manière de pouvoir m'exprimer et c'est [à travers] une forme d'art plus sincère et plus puissante [que l'illustration commerciale.]... J'ai en moi quelque chose qui doit sortir à tout prix et qui grignote pour le faire ... bientôt la voie sera libre et je pourrai disposer d'un moment de tranquillité, j'espère qu'il sera assez long, et je pourrai alors mettre sur toile ce qui s'agite en moi et qui attend—et qui se trouve encore très loin, dans le giron des dieux. Sais-tu ce que je veux exprimer? La Joie. Le Soleil. Le Rire, le rire doux et heureux. Nous avons tellement vu le contraire, pourquoi devrait-on aussi le vivre sur toile!... [je] vais peindre des extérieurs, des portraits—Car j'habite le pays du grand air... nous sommes quelques-uns ici, cinq ou six seulement, la jeune école, et nous travaillons tous vers le même but suprême. Nous essayons tous de nous débarrasser de toutes les idées préconçues, de nous vider de tout, sauf que la nature est là dans toute sa splendeur, et que nous sommes là pour la recueillir et pour la comprendre, si seulement nous sommes suffisamment purs, suffisamment sains et suffisamment humbles pour aller à sa rencontre et être prêts à apprendre—et à la recevoir telle qu'elle est et non pas telle que nous pensons qu'elle devrait être, puis de mettre [sur toile] vigoureusement et fidèlement ce que nous avons recueilli—

.... Parfois je suis découragé car cela devient presque insupportable d'attendre, attendre, attendre encore d'être libre—Le travail alimentaire me prend tellement de temps. Je crois que je ne pourrais pas tenir si je ne savais pas que quelque chose de meilleur devait venir.

Quelque temps après avoir écrit ce credo prémonitieux, Varley reçut une invitation de Thomson lui demandant de se joindre à lui cet automne-là pour aller camper au parc Algonquin.[30] Thomson se trouvait à la maison de campagne du docteur James Mac-Callum lorsqu'il écrivit la lettre et celui-ci devait plus tard rendre l'invitation encore plus attrayante en proposant une aide financière,[31] ce qui devait permettre à Varley et sa femme de se joindre à Thomson, Lismer et Jackson, en octobre 1914, pour faire une excursion d'un mois pendant lequel ils feraient des croquis en plein air. L'*Eté des sauvages* (*Indian Summer*) (fig. 14) est le résultat de cette expédition. C'est un des portraits peints au dehors que Varley avait en projet dans la lettre que nous avons citée: il y dépeint sa femme debout avec, au fond, un paysage d'automne riche en couleurs. Bien que les rochers qui l'entourent soient dépeints avec maîtrise, et que la composition soit arrangée avec astuce, ce tableau possède malgré tout une qualité d'illustration commerciale sous-jacente.

Algonquin Park, they remained close friends to the end, and there is little doubt that Thomson's exotic palette affected Varley's own developing sense of colour. The magentas and brick reds of Thomson's *The Pointers* (fig. 16) were later featured prominently in Varley's own work. Yet only a few desultory drawings can be found from the war years spent in Toronto (fig. 17).

15. Algonquin Park, October 1914 / Le Parc Algonquin, octobre 1914
From left / de gauche à droite: Tom Thomson, F.H. Varley, A.Y. Jackson, Arthur Lismer, Marjorie Lismer and Mrs. Lismer

16. Tom Thomson, *The Pointers*, 1916-17
oil on canvas / huile sur toile, 101.6 x 116.8 cm
Hart House, University of Toronto
(Not included in the exhibition/Oeuvre qui ne figure pas dans cette exposition)

17. *Untitled*, c. / v. 1917
pencil on paper / crayon sur papier, 34.3 x 33.6 cm
Private / Collection / privée

Si Varley ne fut presque pas remarqué par le grand public pendant ses premières années au Canada, c'est sans doute en partie parce qu'il peignait si peu. Toutefois on lui consacra une exposition au "Arts and Letters Club" en février 1916[32]; et il arriva à se séparer de quelques tableaux d'une manière ou d'une autre. Sa première toile canadienne, *La Colline* (*The Hillside*), collection privée, qui était fondée sur l'aquarelle de Sheffield, avec les bohémiennes au premier plan (fig. 13), fut adjugée en 1914 dans une vente aux enchères en faveur du "Fonds Patriotique" (Patriotic Fund) et de l'effort de guerre[33]; il se peut que l'*Eté des sauvages* (*Indian Summer*) ait été donné au docteur MacCallum comme garantie pour couvrir un prêt.[34]

La guerre de 1914-18 ralentit considérablement le mouvement artistique canadien naissant dont Varley avait parlé avec tant d'enthousiasme. Jackson, qui était parti sur le front en France, lui manquait énormément, et la nouvelle de la mort de Thomson, pendant l'été de 1917, fut une grande perte pour lui. Les deux artistes n'avaient pas peint ensemble depuis la sortie au Parc Algonquin, mais ils étaient restés de très bons amis jusqu'au bout, et la palette exotique qu'employait Thomson eut sans aucun doute son influence sur le développement du sens de la couleur de Varley. Ce dernier devait plus tard utiliser visiblement dans ses propre oeuvres les rouges brique et magentas dont Thomson s'était servi dans "*Les Eclaireurs*" (*The Pointers*) (fig. 16). Seuls quelques dessins sans rapport entre eux restent de ces années de guerre passées à Toronto (fig. 17).

18. *Young Men Rule the Air*, 1918
ink on paper / encre sur papier, 43.9 x 28.7 cm
Canadian War Museum / Musée canadien de la guerre, Ottawa

19. *Flying Dispatch Riders*, 1918
ink on paper / encre sur papier, 50.2 x 31.2 cm
Canadian War Museum / Musée canadien de la guerre, Ottawa

WORLD WAR I
1918–1920
LA PREMIERE
GUERRE
MONDIALE

20. *St. Quentin*, 1918 watercolour on paper / aquarelle sur papier, 17.8 x 24.1 cm
Art Gallery of Ontario, Toronto / Gift from the Fund of the T. Eaton Co. Ltd. for Canadian Works of Art /
Don du Fonds de la T. Eaton Cie Ltée pour Oeuvres d'art canadiennes, 1951

On January 24, 1918, Sir Edward Kemp, the Minister in London of the Overseas Military Forces in Canada, cabled the Minister of Militia and Defence, General S.C. Mewburn:

Beaverbrook asks four Canadian artists, Simpson, Beatty, Varley, Cullen, under Sir Edmund Walker's recommendation, be granted rank pay honorary Captain and sent France paint war pictures. ... should be clear understanding pay allowances cover entire remuneration; pictures become property Canada; commissions expire not later than some given date—suggest nine months.[35]

Thus began Varley's short but immeasurably significant military career. Barker Fairley, a professor of German at the University of Toronto, who had met him shortly before through the Arts and Letters Club, recalled that he was "elated" by the news.[36]

The programme that the telegram referred to was the Canadian War Records, initiated and funded by Lord Beaverbrook who was living in Britain. It was an enlightened plan to put British and Canadian artists to work painting the war—the government planning on later placing their works in a memorial museum in Ottawa.

A great deal has recently come to light about Varley's participation in the War Records programme. Like Simpson, Beatty, and Cullen, he was selected by a Canadian committee,[37] probably as a result of the other work that he had done for the government in Canada, such as the illustrations for air corps recruiting.[38] On February 7 he was commissioned as an honorary captain, with pay of $1,900 a year and $600 per annum for supplies.[39] On March 9, the Arts and Letters Club arranged a send-off dinner for Beatty and himself,[40] and Augustus Bridle paid tribute to him in the February 16, 1918 issue of the *Canadian Courier*:

F. Horsman Varley is well known to all readers of the Courier. His covers and illustrations have already stamped him as a man upon whom a patch of earth and sky or a lump of a human figure gets a powerful grip.... Observation of this north-of-Englander as he bangs about here in Canada suggest that he goes hard after the big, essential virilities.... He seems to demand mass and heft in his work. He has had a lot of experience that knocks the guff out of any man. He knows what it is to be a wayside man without enough to eat, a dock walloper, a companion of those who never seen three meals straight ahead in a row, the knights of the empty pocket and the full soul.... No fear but that he will get as good a stranglehold on the tremendous things that high explosives have left in France as any of the contingent. Augustus John, head of the Canadian corps, had better keep an eye on Varley.

On March 25, Varley joined the other three Canadian painters in Halifax and boarded the R.M.S. Grampion for the voyage to Glasgow.[41] After a two week leave in Britain, during which he outfitted himself in London and visited his retired parents in Bournemouth on the south coast, he was ordered to report to the Canadian army camp at Seaford, about a dozen miles east of Brighton.[42]

These early days in the army were a lark. In London, Varley looked up A.Y. Jackson, whom he had not seen since the end of 1914, and met with P.G. Konody, the art critic for the *Observer* and Lord Beaverbrook's advisor.[43] At Seaford itself, he was assigned a batman[44]—an unexpected luxury for a man used to poverty.

Yet his mind was not deflected from the tasks at hand, and he waited with growing impatience to go to France.[45] There he would prove himself, and "break the hearts of moss grown artists" in the process.[46] While Cullen, who was also assigned to Seaford, drifted about the camp,[47] Varley began "keying up",[48] making pencil drawings, watercolours, and as many as four canvases in the space of eight weeks.[49]

He was called to London around the end of June, with orders to make portraits of four officers, three of whom had been awarded the Victoria Cross.[50] Two of the paintings still exist, the best being the portrait of *Lieutenant G.B. McKean, V.C.* (fig. 21), who sat for him in a state of deep shock. Ruddy welts of paint rise out of the wall behind him, testifying to his troubled state of mind, and accenting the deep circles under his eyes. The vertical axis of the painting is also slightly tilted, in the manner of Cézanne, adding to its formal and expressive tension. A rich variety of forms adds yet more substance to the work. Varley himself felt very pleased with it, and on August 5 announced to his wife that "Jackson says I've found myself."

Three weeks later he finally crossed the Channel to France. Moving forward immediately, he was soon in the thick of the fighting. For six weeks he followed the advancing Allied armies as they pushed back the Germans in the final offensive of the war. With little time to gather more than quick impressions, he made virtually no oil paintings, but collected dozens of

L e 24 janvier 1918, le ministre des Forces armées canadiennes à l'étranger, à Londres, Sir Edward Kemp, envoya un câble au ministre de la milice et de la défense, le général S.C. Mewburn:
Beaverbrook demande que l'on accorde le rang honoraire et une solde de capitaine à quatre artistes canadiens, Simpson, Beatty, Varley et Cullen, et qu'on les envoie en France faire des dessins de guerre. ... Il faut que ce soit clair que ces sommes couvriront toute rémunération; les oeuvres deviendront la propriété du Canada; les commissions expireront à une date fixée ... suggérons neuf mois.[35]

C'est ainsi que commença la courte mais néanmoins extrêmement signifiante carrière militaire de Varley. Barker Fairley, un professeur d'allemand à l'Université de Toronto qui avait fait sa connaissance quelque temps auparavant à l'"Arts and Letters Club," se souvient qu'il était "enchanté" par la nouvelle.[36]

Le programme auquel le télégramme fait référence, les "Canadian War Records" (Archives de guerre du Canada), avait été institué par Lord Beaverbrook qui résidait en Angleterre et avait également fourni les fonds. Il s'agissait d'un projet éclairé grâce auquel on allait mettre les artistes britanniques et canadiens au travail à dépeindre la guerre: le gouvernement avait l'intention de placer éventuellement leurs oeuvres dans un musée de guerre à Ottawa.

On a récemment appris pas mal de détails sur la participation de Varley au programme des Archives de guerre. Tout comme Simpson, Beatty et Cullen, il avait été choisi par un comité de sélection canadien,[37] sans doute à la suite des autres travaux qu'il avait réalisés pour le gouvernement canadien, tels que les illustrations destinées au recrutement pour l'armée de l'air.[38] Le 7 février il fut nommé capitaine à titre honoraire, avec une solde de 1900 dollars par an, plus 600 dollars pour les frais de fournitures.[39] Le 9 mars, l'"Arts and Letters Club" donna un dîner d'adieu en son honneur et celui de Beatty[40] et, dans l'édition du 16 février 1918 du *Canadian Courier*, Augustus Bridle faisait son éloge en ces termes:
Les lecteurs du Courier connaissent bien F. Horsman Varley. Ses illustrations et ses premières pages l'ont déjà montré comme étant un homme sur qui un coin de terre ou de ciel, ou une figure humaine quelconque ont un puissant effet. Quant on voit comment ce natif du nord de l'Angleterre se démène ici au Canada, on a la très forte impression qu'il poursuit dans ses tableaux les éléments les plus viriles et les plus essen-

21. *Lieutenant G.B. McKean, V.C.*, 1918
oil on canvas / huile sur toile, 102 x 76 cm
Canadian War Museum / Musée canadien de la guerre, Ottawa

tiels. ... Il semble que les masses et le poids lui soient nécessaires dans son travail. Il a une longue expérience de travaux qui épuiseraient tout un chacun. Il sait ce que c'est que d'être un vagabond qui ne mange pas tous les jours, un docker qui doit se bagarrer, un compagnon de ceux qui ne voient jamais trois repas d'affilée, de ces chevaliers aux poches vides mais pleins d'âme. Il ne peut y avoir aucun doute qu'il arrivera aussi bien que tout autre membre du contingent à saisir les effets incroyables que les explosifs puissants ont produits en France. Le chef du régiment canadien, Augustus John, ferait bien d'avoir l'oeil sur Varley.

Le 25 mars, Varley rejoignit à Halifax les trois autres peintres et monta à bord du R.M.S. Grampion, qui devait les emmener à Glasgow.[41] Après une permission de deux semaines pendant laquelle il s'équipa à Londres et rendit visite à ses parents

22. *Camouflage Farm, France*, 1918
pencil and watercolour on paper / crayon et aquarelle
sur papier, 22 x 33.8 cm
Private / Collection / privée, Toronto

"notes"[51] to be worked up later in his studio back in London.

The war was a revelation. In a way, his previous life in the "underworld", and tendency towards mysticism and reflection, prepared him for it. Here was adventure on a high, cataclysmic scale. Varley, the romantic, was thrilled. The world seemed to end and begin again before his very eyes. And Varley, the professional, was ecstatic. This was the test that he had been waiting for. "50-50. All to gain or all to lose", as he put it.[52] He would show the "big bugs" what good painting was!

With thoughts like these, Varley moved up towards the front, making his notes, and dodging shells along the way.[53] The results of this odyssey are slight perhaps, but rarely was he so incisive. His line

23. Varley's studio at *The Mall*, London / L'atelier de Varley au *Mall*, Londres, 1918-19

24. *Shell Torn Trees*, 1918
pencil and watercolour on paper / crayon et aquarelle sur papier, 25.2 x 35.4 cm

retraités sur la côte sud, à Bournemouth, il reçut l'ordre de se rendre au camp militaire canadien à Seaford, à quelque douze miles à l'est de Brighton.[42]

Les premiers temps à l'armée furent comme une fête. A Londres, Varley prit contact avec A.Y. Jackson qu'il n'avait pas vu depuis la fin de 1914, et fit la connaissance de P.G. Konody, le critique d'art de l'*Observer* et conseiller de Lord Beaverbook.[43] A Seaford, on lui avait assigné un aide-de-camp,[44] un luxe inattendu pour un homme habitué à la pauvreté.

Pourtant cela ne lui avait pas détourné l'esprit de ce qu'il y avait à faire; et il attendait avec une impatience croissante le jour de son départ pour la France.[45] Là-bas il pourrait faire ses preuves et, ce faisant, "rendre jaloux des artistes couverts de mousse."[46] Alors que Cullen, qui avait aussi été envoyé à Seaford, errait à droite, à gauche, à l'intérieur du camp,[47] Varley, lui, commençait à "se préparer"[48] en faisant des dessins au crayon, des aquarelles et jusqu'à quatre toiles en l'espace de huit semaines.[49]

Vers la fin juin on l'appela à Londres pour faire le portrait de quatre officiers, trois desquels avaient reçu la Croix Victoria.[50] Deux de ces tableaux existent toujours, le meilleur étant le portrait du *Lieutenant G.B. McKean, V.C.* (fig. 21), qui était dans un état de choc profond quand il posa. Cet état d'esprit troublé est attesté par les traits rouges qui font un relief sur le mur et mettent l'accent sur les poches profondes qui soulignent ses yeux. En plus, l'axe vertical du tableau est aussi légèrement penché, à la manière de Cézanne, ce qui ajoute à sa tension formelle et expres-

grew powerful, and his watercolour technique became suddenly strong. There is a kind of brutal sensitivity to this work. The draughtsmanship and dexterity of the light-and-shade watercolour modelling in *Dead Horse Square, Monchy* is outstanding (fig. 25). And he also made pure watercolours, such as *Shelled Nisson Huts* (fig. 27), in which he combined brush tip drawing and loose washes in a lyrical dance of tans, blue, grey, and black. They are hardly the song of an unhappy or overly anxious man.

Some of the pencil drawings, however, are handled with poignant sensitivity. The smudged little figure in *Dead Soldier* (fig. 26) is an extraordinary reminder of the fragility of life. Like mounds of earth, bodies lie scattered about the ground in *The Dead* (fig. 29), which may have been made the same day. Notice how Varley lingered over their boots and feet. Their "sacrifice" had been futile and pathetic. In mid

October, he wrote to his wife in a state of high agitation:

You in Canada ... cannot realize at all what war is like. You must see it and live it. You must see the barren deserts war has made of once fertile country ... see the turned up graves, see the dead on the field, freakishly mutilated—Headless, legless, stomachless, a perfect body and a passive face and a broken empty skull— see your own countrymen, unidentified, thrown into a cart, their coats over them, boys digging a grave in a land of yellow slimy mud and green pools of water under a weeping sky. You must have heard the screeching shells and have the shrapnel fall around you, whistling by you—Seen the results of it, seen scores of horses, bits of horses laying around, in the open—in the street and soldiers marching by these scenes as if they never knew of their presence—until you've lived this little woman—you cannot know.

25. *Dead Horse Square, Monchy*, 1918 pencil and watercolour on paper / crayon et aquarelle sur papier, 25.3 x 35.4 cm
The National Gallery of Canada / La Galerie nationale du Canada
(Exhibited in Ottawa, Montreal and Toronto only / Oeuvre exposée seulement à Ottawa, à Montréal et à Toronto)

26. *Dead Soldier*, 1918
pencil on paper / crayon sur papier, 21 x 26.7 cm
Mr. and Mrs. H.D. Morgan, Embro, Ontario

27. *Shelled Nisson Huts*, 1918
watercolour on paper / aquarelle sur papier, 17.8 x 25.4 cm
Miss Emma Varley, Vancouver

sive. La substance de l'oeuvre est encore enrichie par
la variété des formes. Varley en était assez fier lui-
même et, le 5 août, annonçait à sa femme que "Jackson dit que je me suis trouvé."

Il traversa enfin la Manche trois semaines plus
tard. Aussitôt il monta au front et se trouva bientôt
dans le feu de l'action. Pendant six semaines, il suivit
les troupes alliées, qui étaient au beau milieu de la
dernière offensive de la guerre et faisaient reculer les
Allemands. Ayant bien peu de temps pour recueillir
plus que des impressions fugitives, il ne fit pratiquement pas de tableaux à l'huile, mais accumula des
dizaines de "notes"[51] à être élaborées plus tard dans
son atelier à Londres.

La guerre fut une révélation. Par certains côtés, sa
vie dans les "bas-fonds" auparavant et sa tendance au
mysticisme et à la réflexion l'y avaient préparé.
C'était l'aventure à grande échelle, cataclysmique. Le
romantique en Varley était en extase: le monde semb-

28. *Shelled Graveyard*, 1918
pencil and chalk on paper / crayon et craie sur papier
17.8 x 24.9 cm sheet size / dimension de la page;
12.8 x 22.4 cm image size (cropped) / dimension de l'image (coupée)
Private / Collection / privée, Edmonton
note: a field sketch for / croquis fait sur les lieux pour *Some Day The People Will Return*

29. *The Dead*, 1918
pencil on paper / crayon sur papier, 25.4 x 35.6 cm
Master Robin Varley, Vancouver

Exhausted by the intensity of his adventure, Varley returned to England on October 18.[54] After a short rest at his parents' home in Bournemouth, he went on to his studio in London. There he began to feverishly work up several canvases, among them: *Dead Horse Square, Monchy*, from the watercolour study; and *A Modern City*, which he described as "a city of Nisson huts twisted ludicrously, flung about, juggled with, torn into shreds...while the lords must have rolled with laughter to see such a farce..."[55] Both paintings have been destroyed or lost although *Dead Horse Square, Monchy* was apparently reproduced before it disappeared.[56]

A third painting is of a shelled graveyard (fig. 30)

It is a huge canvas—six by seven and a half feet—the largest work that Varley ever completed. Broken and toppled headstones litter the foreground. In the lower centre of the painting lie scattered bones and a blown open grave. The landscape beyond is brown and desolate. The only ray of optimism seems to emanate from the small patch of blue sky that appears at the top centre of the painting, situated at the apex of the broken triangle formed by the felled timber at the lower left and teetering headstone at the lower right.

Varley entitled the painting *Some Day The People Will Return*, and wrote of it:
Some day the people will return to their village

30. *Some Day The People Will Return*, 1918
oil on canvas / huile sur toile, 182.8 x 228.6 cm
Canadian War Museum / Musée canadien de la guerre / Ottawa
(Exhibited in Ottawa only/Exposé seulement à Ottawa)

lait mourir et renaître devant ses yeux; et le professionnel en lui était ravi: il allait enfin être mis à l'épreuve. Comme il le disait lui-même: (C'est à) "50 contre 50. Tout à gagner ou tout à perdre."[52] Il allait montrer aux grosses huiles ce que c'était que la vraie peinture!

C'est dans cet état d'esprit que Varley monta vers le front en prenant ses notes et en passant entre les bombes le long du chemin.[53] Les résultats de cette odyssée sont maigres peut-être, mais rarement avait-il été aussi incisif. Son trait devint puissant et sa technique d'aquarelle s'affermit soudain. Il y a dans ces travaux une sorte de sensibilité brutale. Le dessin et la dextérité avec laquelle le modelé du clair et de

l'ombre de l'aquarelle est utilisée dans *Le Square au cheval mort, Monchy* (*Dead Horse Square, Monchy*) (fig. 25) sont admirables. Il fit aussi de pures aquarelles, comme *Cabanes de Nisson en ruines* (*Shelled Nisson Huts*) (fig. 27), dans laquelle le dessin exécuté à la pointe du pinceau et les larges lavis se combinent en une danse lyrique d'ocre, de bleu, de gris et de noir. Ces tableaux ne sont pas vraiment l'oeuvre d'un homme malheureux ou trop angoissé.

Certains dessins au crayon sont toutefois exécutés avec une sensibilité poignante. La tache que fait le petit personnage dans *Le soldat mort* (*Dead Soldier*) (fig. 26) nous rappelle avec vividité comme la vie est fragile. Dans *Les Morts* (*The Dead*) (fig. 29), qui a

41

which is not; they will look for their little church which is not; and they will go to the cemetery and look for their own dear dead, and even they are not—in a land pounded and churned and poisoned, that was once fertile and rich with golden grain and good things for the welfare of the race.[57]

Yet beneath this oppressive and sentimental message lies another meaning. On November 8, 1918, Varley wrote to his wife from London, "I'm a pagan—whole hearted 'not a Christian' of all the tomfools—why—Christianity's as dead as the graveyard I'm painting." Like many of the servicemen who would soon return to civilian life, he was fed up with society's stultifying conventions and hoped that the war would erode or plow many of them under, especially those of the church.

31. *Buildings in France*, 1919
pencil on grey paper / crayon sur papier gris, 20.6 x 27 cm
Dr. E.J. Thomas, Winnipeg

peut-être été fait le même jour, les corps sont empilés pareils à des tas de terre. Nous pouvons remarquer comme Varley a insisté sur les pieds et les godillots. Le "sacrifice" de ces hommes a été inutile et pathétique. A la mi-octobre, il écrivait dans un état d'agitation intense:

Vous autres, au Canada... vous ne pouvez pas vous rendre compte de ce que c'est que cette guerre. Il faut la voir et la vivre. Il faut voir les déserts nus que la guerre a faits d'un pays qui fut fertile... les tombes retournées, les morts dans les champs effroyablement mutilés—sans tête, sans jambes, sans estomac, un corps parfait au visage impassible et le crâne fendu et vidé—voir ses compatriotes, sans identité, jetés sur un chariot, avec leur manteau pour les couvrir, des garçons en train de creuser une fosse dans la boue jaunâtre et glissante et dans les flaques vertes, sous un ciel en larmes. Il faut avoir entendu les obus hurler et sentir la mitraille passer à côté de vous en sifflant—avoir vu les résultats, les montagnes de chevaux, les bouts de chevaux éparpillés, au grand air—dans les rues où les soldats passent au pas comme s'ils ne voyaient rien, comme s'ils ne savaient rien de tout cela—tant que tu n'as pas vécu ceci, ma petite—tu ne peux pas savoir ce que c'est.

Epuisé par l'intensité de son aventure, Varley rentra en Angleterre le 18 octobre.[54] Après quelques jours de repos dans la maison de ses parents à Bournemouth, il monta à Londres pour retourner à son atelier. Là, il se mit à travailler fièvreusement sur plusieurs toiles parmi lesquelles: *Square au cheval mort, Monchy*, d'après l'étude à l'aquarelle; et *Une*

32. *In Arras*, 1918-19
oil on wood panel / huile sur panneau de bois, 29.8 x 40.6 cm
The Faculty Club, University of British Columbia, Vancouver

Some Day The People Will Return was followed by a second large painting, the subject of which is once again a graveyard. *For What?* (fig. 33) includes a cart full of "kharki arms and legs ... bits of people"[58] that tips forward into a pool of slimy yellow-green mud. A soldier in shirt sleeves momentarily rests on his shovel beyond, contemplating the blood clotted remnants of humanity that he is about to bury. Above him, the sky literally weeps. The mood is one of absolute hopelessness and despair and strongly reminds us of Millet. Varley described the canvas as "strange and incredulous",[59] as though he had painted something beyond himself.

For What? perfectly caught the sense of despondency and troubled self-searching in Britain after the war; and when it was displayed in the Canadian War Memorials Exhibition at the Royal Academy's gallery, Burlington House, in January and February 1919, it immediately became a focus of attention. The

33. *For What?*, 1918
oil on canvas / huile sur toile, 147.3 x 183 cm
Canadian War Museum / Musée canadien de la Guerre / Ottawa

ville moderne (*A Modern City*) qu'il décrivait comme étant "une agglomération de cabanes de Nisson, ridiculement tordues, éparpillées de tous les côtés, comme si on avait jonglé avec, déchirées en mille morceaux ... pendant que les dieux devaient mourir de rire en voyant une telle farce".[55] Ces tableaux ont tous deux été détruits ou perdus, bien que *Le Square au cheval mort, Monchy* ait été reproduit apparemment avant de disparaître.[56]

Il existe une troisième peinture qui représente un cimetière bombardé (fig. 30). C'est une toile énorme (six pieds par sept et demi), la plus grande que Varley ait jamais terminée. Au premier plan, des pierres tombales brisées, tournées sens dessus-dessous, jonchent le sol. Au centre, en bas du tableau, des os éparpillés et une tombe qu'un obus a retournée. Le seul trait d'optimisme semble émaner d'un petit coin de ciel bleu qui apparaît en haut et au centre, à l'apex du triangle brisé formé par le bois mort en bas à gauche et la pierre tombale renversée en bas et à droite. Le peintre l'avait intitulé *Un jour les gens reviendront* (*Some Day the People Will Return*), et en disait:

Un jour les gens reviendront au village qui n'est plus; ils chercheront la petite église qui n'est plus; puis ils iront au cimetière, chercher leurs chers décédés et même eux ne sont plus—le pays pilonné, retourné, empoisonné, cette terre qui était autrefois fertile et abondante en grain blond et en nourriture bienfaitrice pour la préservation de la race.[57]

Pourtant, derrière ce message opprimant et sentimental transparaît un autre sens. Le 8 novembre 1918, Varley écrivait à sa femme, depuis Londres: "Je suis un païen, de tout coeur, 'pas un chrétien' comme tous ces imbéciles—pourquoi?—la chrétienté est aussi morte que le cimetière que je suis en train de peindre." Comme de nombreux soldats qui allaient bientôt retourner à la vie civile, il en avait assez des conventions opprimantes de la société, et espérait que la guerre allait en éroder et en détruire un bon nombre, surtout celles de l'église.

A la suite d'*Un jour les gens reviendront*, il composa une seconde grande toile, dont le sujet était de nouveau un cimetière. *Pour quoi?* (*For What?*) (fig. 33) comprend une charrette sur laquelle sont entassés "des bras, des jambes khakis ... des morceaux d'humains"[58] qui penchent vers une flaque de boue gluante, jaunâtre et verdâtre. Un soldat en manches de chemise se repose un instant sur sa pelle en contemplant les restes sanguinolents d'humanité

qu'il s'apprête à enterrer. Le ciel au-dessus de lui pleure littéralement. Il y règne une atmosphère de désespoir absolu qui rappelle Millet. Varley utilisait les mots "bizarre et incroyable"[59] pour décrire cette toile, comme s'il avait peint quelque chose qui le dépassait complètement.

Pour quoi? capturait parfaitement cet état d'abattement et de recherche de soi troublée qui caractérisait l'Angleterre de l'après-guerre. Ce tableau devint immédiatement le centre d'attraction lorsqu'il fut montré au cours de l'exposition des Archives de guerre du Canada (Canadian War Memorials Exhibition) à la Galerie de la Royal Academy, Burlington House, de janvier à février 1919. Les spectateurs y étaient attirés instinctivement[60] et Varley fut encensé par les critiques aussi bien que par les artistes britanniques. Au cours d'un repas, P.G. Konody lui dit que l'on avait écrit trente-huit articles sur l'exposition, d'un bout à l'autre du pays, et que ses oeuvres avaient été acclamées sans retenue.[61] Augustus John le félicita chaleureusement[62] et William Rothenstein parlait très favorablement de ses travaux.[63] Le 14 janvier, Varley écrivait à sa femme:

Hier soir, [au Chelsea Club], j'ai fait la connaissance de tous les pontes—les grands, tu sais—Après dîner, ils ont bu à ma santé et m'ont fait un bel accueil et il a fallu que ton gars fasse un discours—Eh oui, j'ai fait un discours—Ça m'a assez plu, je dois dire, et je n'étais pas nerveux du tout—J'ai remarqué qu'ils portaient tous des pantalons, des manteaux et des chaussures, comme tout le monde—Cela m'a beaucoup rassuré.

Deux jours après, il poursuivait:

A dire vrai, je suis sorti de la masse grouillante des pouilleux et les grosses huiles me comptent parmi les leurs—D'ailleurs, je me ferais un plaisir d'en bouffer quelques-uns—Je suis maintenant membre du Chelsea Art Club—On y rencontre tous ceux dont on entend parler ....Jeudi prochain, vingt-cinq d'entre nous allons donner un dîner en l'honneur de Konody et nous allons lui présenter une boîte à cigares de 25 livres (£25)—Le Major Augustus (hum, hum) John présidera.

Varley avait peu de doutes qu'il aurait pu se réinstaller en Angleterre sans aucune difficulté. Pourtant, il avait la nostalgie du Canada et se sentait angoissé, après avoir fini ces tableaux sur les atrocités de la guerre. En mai, il écrivait à Arthur Lismer:

Les gars, ici, ne comprennent pas pourquoi je veux retourner au Canada, mais ils n'y ont jamais été, et ils

crowds in attendance were instinctively drawn to it[60] and Varley was lionized by the critics and British artists. Over lunch, P.G. Konody told him that the exhibition had received thirty-eight reviews in the country, and that his paintings has been praised unsparingly.[61] Augustus John greeted him warmly,[62] and William Rothenstein spoke highly of his work.[63] On January 14, Varley wrote to his wife:

I met the tip-toppers last night [at the Chelsea Arts Club]—all the big ones you know—They drank my health after dinner was over made me very welcome and your boy had to speak—Yes, I spoke—Quite enjoyed gassing and wasn't a bit nervous—I notice they all wear coats trousers and boots just like any other kind of men—I derived great comfort from my observation of such.

Two days later, he continued the letter:

In truth, I have crawled from out the horde of swarming fleas and the big bugs class me with them—I wouldn't mind eating some of them up—The Chelsea Arts Club have made me a member—In it one meets all the men one hears about .... Next Thursday evening 25 of us are giving a dinner to Konody and presenting him with a £25 cigar case—Major Augustus (ahem) John in the chair.

There was little doubt in Varley's mind that he could have easily re-established himself in England. Yet he pined for Canada, and felt distraught after completing those horrific war paintings. In May he wrote to Arthur Lismer:

The boys here can't understand why I want to go to Canada again, but then they haven't been there and they don't know that there are a hundred bigger chances for progression out there than here. It's no use telling them.[64]

He daydreamed of painting "a Canadian Indian summer, with sunburnt humans in riotous dance— naked, sunbronzed, flying hair, trills of laughter, splashing water—golden pumpkins, purple grapes...."[65] England was dead. He could not stay there. His wunderlust would never be satisfied.

But before returning to Canada he made a second visit to the now quiet Canadian battlefields in France. Travelling with Cyril H. Barraud (fig. 34), another War Records artist, he spent approximately two months on the Continent, making more sketches, and reflecting on the events of the past year. His letters contain additional descriptions of the nightmarish landscape, yet are more philosophical and detached in tone.[66]

34. *Cyril H. Barraud*, March / mars 1919
oil on wood panel / huile sur panneau de bois, 38.1 x 33 cm
Private / Collection / privée, Winnipeg

ne peuvent pas savoir que là-bas il y a cent fois plus de possibilités de faire des progrès qu'ici. Ce n'est pas la peine de le leur dire[64].

Il rêvait de peindre "un été des sauvages au Canada, avec des danseurs endiablés, brûlés par le soleil—nus, bronzés, les cheveux au vent, la musique des rires, le bruit de l'eau—des citrouilles dorées, des raisins violets."[65] L'Angleterre était morte. Il ne pouvait pas y rester. Son besoin de voyager ne serait jamais satisfait.

Avant de rentrer au Canada, il retourna visiter une deuxième fois les champs de bataille en France, où les Canadiens avaient combattu mais qui étaient maintenant paisibles. Il voyageait avec Cyril M. Barraud (fig. 34) qui était aussi artiste pour les Archives de guerre et passa environ deux mois sur le continent à faire encore des esquisses et à réfléchir sur les événements de l'année écoulée. Sa correspondance décrivait à nouveau les paysages cauchemardesques, mais sur un ton plus détaché et plus philosophique.[66]

Il entama deux toiles supplémentaires à son retour à Londres, vers la mi-mai, et fit un portrait de la fille de Lord Beaverbrook (Beaverbrook Art Gallery, Fredericton, Nouveau-Brunswick), mais se dépêcha de tout terminer en Angleterre pour pouvoir rentrer chez lui. Vers la fin juillet, il obtint une couchette sur un bateau naviguant de Liverpool à Halifax et, après avoir fait ses derniers adieux à sa famille et à ses amis,

35. *The Sunken Road* (sketch / croquis), 1918-19 oil on wood panel / huile sur panneau de bois, 21.3 x 27 cm
Art Gallery of Ontario, Toronto. Gift of / Don de / Mrs. Donald McKay.
On loan to the Art Gallery of Ontario from the Ontario Heritage Foundation / Prêté à l'Art Gallery of Ontario
par l'Ontario Heritage Foundation / 1972

He commenced two more canvases after getting back to London in mid-May, and made a portrait of Lord Beaverbrook's daughter (Beaverbrook Art Gallery, Fredericton, New Brunswick), but hurried to wrap things up in England so that he could return home. Around the end of July he obtained a berth on a ship bound for Halifax from Liverpool, and after final farewells to his family and friends, sailed for Canada on August first[67]—the last Canadian War Records artist to leave the country.

With five paintings in the planning stages, and no intention of returning to commercial illustration, Varley made arrangements with the London office of Canadian War Records to continue paying his bills for materials and expenses.[68] He also retained his commission, being posted to the First Central Ontario Regiment on August 13.[69] Two days later he took occupancy of Tom Thomson's old shack behind the Studio Building, for which he arranged to pay Lawren Harris thirty-five dollars per month.[70]

With his military pay to keep him financially afloat, he recommenced work on what were to be his last two paintings of the war, *German Prisoners* (Canadian War Museum) and *The Sunken Road* (fig. 36). The latter, which Varley described as the remains of a German gun crew who were killed when

36. *The Sunken Road*, 1919
oil on linen / huile sur toile de lin, 132.4 x 162.8 cm
Canadian War Museum / Musée canadien de la guerre / Ottawa
(Not available for the exhibition / Oeuvre non disponible pour cette exposition)

il se mit en route vers le Canada, le premier août.[67] Il fut le dernier artiste des Archives de guerre à quitter le pays.

Ayant cinq toiles en projet et puisqu'il n'avait pas la moindre intention de se remettre à l'illustration, Varley prit ses dispositions avec le bureau londonien des Archives de guerre du Canada pour qu'on continue à payer ses factures de matériel et ses dépenses.[68] De même, il garda sa commission, et fut nommé au Premier Régiment du moyen Ontario (First Central Ontario Regiment), le 13 août.[69] Deux jours plus tard, il s'installait dans l'ancienne cabane de Tom Thomson, derrière le Studio Building, pour

laquelle il payait trente-cinq dollars de loyer par mois à Lawren Harris.[70]

Avec sa solde militaire pour lui garder la tête hors de l'eau sur le plan financier, il se remit au travail sur ce qui devait être ses deux derniers tableaux sur la guerre: *Les prisonniers allemands* (*German Prisoners*) (Musée canadien de la guerre) et *Route en contrebas* (*The Sunken Road*) (fig. 36). Ce dernier, au sujet duquel Varley disait qu'il s'agissait des restes d'une équipe de tirailleurs allemands dont la pièce avait explosée,[71] fut élaboré à partir d'une photographie et d'une esquisse à l'huile (fig. 35).[72] C'est la seule toile de guerre qui soit peinte en couleurs vives;

37. *Night Before a Barrage*, 1919
oil on wood panel / huile sur panneau de bois, 29.8 x 40.6 cm
Private / Collection / privée, Toronto

38. Augustus John, *Canadians at Liévin Castle*, 1918
oil on canvas / huile sur toile, 36.8 x 122 cm
The Beaverbrook Foundation
Beaverbrook Art Gallery, Fredericton, N.B.
(Not included in the exhibition/Oeuvre qui ne figure pas dans
cette exposition)

toutes les autres sont peintes en tons sombres. C'est aussi la plus sanglante, car le soldat allongé vers nous, au centre du tableau, s'est visiblement fait arracher la tête par une explosion. L'arc-en-ciel en haut et à gauche tourne l'humanité en dérision, avec ironie mais de manière peu efficace, pour avoir créé un tel enfer.

Mais une des principales raisons pour laquelle Varley resta si longtemps à l'armée (il ne fut pas démobilisé avant le 31 mars 1920) était qu'il attendait que les Archives de guerre du Canada lui commandent une peinture murale de quatorze pieds de longueur destinée aux "murs d'une galerie devant être construite à Ottawa."[73] Il était, de toute évidence, enthousiaste à l'égard de ce projet car Augustus John devait également réaliser une murale pour le même bâtiment. On avait déjà exposé le carton de la murale de John à l'Exposition des Archives de guerre du Canada (Canadian War Memorials Exhibition) à Burlington House, où l'accueil avait été plutôt tiède.[74] Sentant qu'il pouvait avoir l'occasion de surpasser un de ses maîtres, Varley fit des pieds et des mains pour avoir le droit de montrer son projet à côté de celui de John; et si l'on compare les esquisses finales pour les deux projets de murale (figs. 37, 38), on peut voir qu'il avait de bonnes chances de réussir. Varley avait décrit *La Veille du barrage* (*Night Before a Barrage*) dans un bon nombre de lettres,[75] et ce tableau est le premier où apparaissent le sens de la couleur de sa maturité et sa touche délicate et raffinée. On constate aussi une remarquable imagination quant à la composition: la scène est éclairée par en arrière et la lumière tremblante du feu de camp fait se détacher les silhouettes des personnages d'un avant-plan autrement sombre. Le résultat est original et impressionnant— et de loin supérieur au tableau de John, *Des Canadiens au château de Liéven* (*Canadians at Liéven Castle*), qui est mal organisé et monotone par son côté anecdotique.

Malheureusement, on ajourna la construction du Musée des Archives de guerre. Pourtant, Varley continua à rivaliser avec John et le considérait comme son concurrent le plus important même jusqu'en 1940.[76] Mais comme le disait Barker Fairley, Varley et John trouvaient tous deux que "l'esprit humain [était] un mystère d'un intérêt sans fin."[77] L'art moderne français semblait par ailleurs trop ascétique ou trop léger et plein d'artifice au goût des deux hommes.

Varley cessa de peindre pour les Archives de guerre du Canada (Canadian War Records) au moment de sa démobilisation. Il livra deux nouvelles toiles au gouvernement, qui paya ses dernières factures de matériel et de loyer.[78] Le peintre se retrouvait de nouveau à la rue et ses efforts ne lui avaient pas apporté grand-chose. Il n'avait toujours pas suffisamment d'argent. Sa célébrité en Angleterre n'avait été que momentanée, mais elle avait suffi à lui attirer une certaine attention de la part du public canadien. Ceci lui donna un regain d'assurance. Il pouvait désormais se considérer artiste.

their artillery piece exploded,[71] was worked up from a photograph as well as an oil sketch (fig. 35).[72] It is the only high-keyed war canvas, the others all being dark and tonal. And it is also the most gory, for the soldier who lies towards us at the centre of the painting has clearly had the top of his head blown off. The rainbow in the upper-left ironically, although not very effectively, mocks mankind for having created such a hell.

But one of the principal reasons that Varley hung onto his commission so long (he was not demobilized until March 31, 1920) was in anticipation of receiving a major commission from Canadian War Records for a fourteen foot long mural for "the walls of the proposed gallery in Ottawa."[73] He was clearly excited about the project, for another mural was being planned for the same building by Augustus John. The cartoon of John's mural had already been exhibited at the Canadian War Memorials Exhibition at Burlington House, where it had received a luke-warm response.[74] Sensing the chance to blow one of his old mentors out of the water, Varley fought hard to exhibit alongside him; and by comparing the finished sketches for the two mural proposals (figs. 37, 38) we can see that his chances of success were very good. *Night Before a Barrage*, which Varley described in a number of letters,[75] is the first painting that revealed his mature colour and refined delicacy of touch. It is also a remarkable pictorial invention, a back lit scene against which the silhouettes of a few figures emerge in the glimmering firelight of the otherwise darkened foreground. The result is distinctive and powerful—far superior to John's disorganized and monotonously anecdotal *Canadians at Liéven Castle*.

Unfortunately, plans for the War Memorials museum were shelved. Yet Varley continued gunning for John, and as late as 1940 still considered him his most important rival.[76] But then, as Barker Fairley put it, Varley and John found "the human soul an endlessly exciting mystery."[77] Modern French art was seemingly too monastic or trifling and gimmicky for either man's taste.

With Varley's demobilization came the end of his work for Canadian War Records. The government took delivery of the two new canvases and paid the last of his studio and paint bills.[78] Back out on the street, he had little to show for his efforts. There was still not enough money. His notoriety in Britain had been only momentary, but it had caught the attention of people in Canada and hardened his resolution. He could now call himself an artist.

TORONTO
1920-1926

39. *Portrait Group*, 1924-25 oil on canvas / huile sur toile, 86.5 x 101.7 cm
Private / Collection / privée, Toronto ex.: O.S.A., 1925
(Not available for the exhibition / Oeuvre non disponible pour cette exposition)

On May 7, 1920, five weeks after Varley was demobilized, the first Group of Seven Exhibition opened at the Toronto Art Museum. He displayed six small sketches, two landscapes (one of which had been painted two years before at Seaford in Britain), *The Sunken Road*, and four portraits, including one of Vincent Massey, the future Governor-General of Canada (fig. 44).[79] Lawren Harris was the only other member to show portraits.[80] The rest of the exhibition comprised stylized Post-Impressionist landscapes.

The Foreward to the catalogue stressed that the members of the Group "are all imbued with the idea that an Art must grow and flower in the land before the country will be a real home for its people."[81] Varley certainly subscribed to this conviction. Yet he did not join in the Group's search for an intrinsically Canadian style, and he had misgivings about the paintings of some of the other members.

In fact, he remained something of an outsider in this society of non-conformists. F.B. Housser, the Group's unofficial chronicler, described him as a "sort of art gypsy."[82] He took part in none of the sketching expeditions to Algoma, the north shore of Lake Superior, or the Rocky Mountains. Indeed, he was rarely represented in the Group's early exhibitions by landscapes. He did, however, frequently display paintings of figures set in landscapes—his ambition from before the war. These paintings are hardly known today; only one has entered a public collection (fig. 70), and some have disappeared altogether.

In 1922, Varley exhibited a hybrid version of one of these "figure in landscape" paintings simply entitled *Allegory*, (present whereabouts unknown) with the Group. Judging from the press reports, it created considerable confusion, and was one of the oddities of the show. One critic described it as including a:

sculpturesque Egyptian mother nursing her babe at the foot of a pine with one curtain of boughs, a backward swale of water, rocks in a heap, and a moody, city-dressed boy gazing into the infinite with a discarded toy ship below.[83]

The meaning of this "allegory" is obscure, but the "sculpturesque Egyptian mother" is probably Varley's wife (fig. 57). She served as the model for many of his paintings. He cut her features into severe profiles, and placed her in stiff antique poses. Although few of these paintings still exist, the figure of the artist's daughter Dorothy, which appears in

the background of *Evening in Camp* (fig. 64), demonstrates these Gauguinesque stylizations. They now look quirky and dated, but in the early twenties represented a radical departure from naturalistic anatomy.

The only time that Varley showed much enthusiasm in Ontario for pure landscape painting was during the first years that the Group of Seven was together. Maud and he met the Lismers in the late summer of 1920 to sketch around Dr. MacCallum's Georgian Bay cottage. Some fine and generally sombre panels resulted, one of which was worked up into *Stormy Weather, Georgian Bay* (figs. 48, 50).

40. *Maud*, c. / v. 1919
charcoal on paper / fusain sur papier, 27 x 21 cm
Private / Collection / privée
Note: a W.W. I drawing originally on back / Un dessin datant de la Ière guerre mondiale paraissait autrefois au revers

Le 7 mai 1920, cinq semaines après que Varley fut démobilisé, eut lieu la première exposition du Groupe des Sept, au Toronto Art Museum. Il présenta six petites esquisses, deux paysages (dont l'un avait été peint deux ans auparavant, à Seaford, en Angleterre), *Route en contrebas* (*The Sunken Road*), et quatre portraits, dont un de Vincent Massey, le futur Gouverneur-Général du Canada (fig. 44).[79] Lawren Harris fut le seul autre membre à exposer des portraits.[80] Le reste de l'exposition comprenait des paysages néo-impressionnistes stylisés.

L'avant-propos du catalogue soulignait que les membres du Groupe "sont tous imbus de l'idée qu'un Art doit grandir et s'épanouir dans la terre, avant que ses habitants se sentent vraiment chez eux à la campagne."[81] Varley se joignit sans aucun doute à cette conviction. Il ne rejoignit cependant pas le Groupe qui recherchait un style canadien propre, et il avait des doutes quant aux tableaux de certains des autres membres.

En fait, il restait un peu l'étranger dans cette société de non-conformistes. F.B. Housser, le chroniqueur officiel du Groupe, le décrivit comme "une sorte de gitan de l'art."[82] Il ne prit part à aucune des

41. *Gypsy Head*, 1919
oil on canvas / huile sur toile,
61.6 x 50.8 cm The National
Gallery of Canada / La Galerie
nationale du Canada
(Exhibited in Ottawa only /
Exposé seulement à Ottawa)

42. *Self-Portrait*, 1919
oil on canvas / huile sur toile, 61 x 50.8 cm
The National Gallery of Canada / La Galerie nationale du Canada

excursions de dessin à Algoma, sur la rive nord du Lac Supérieur, ou dans les Montagnes Rocheuses. En vérité, il fut rarement représenté dans les premières expositions de paysages du Groupe. Cependant, il présenta fréquemment des tableaux de personnages dans un paysage—son ambition datant d'avant la guerre. Ces tableaux sont à peine connus aujourd'hui; un seul fait partie d'une collection publique (fig. 70), et certains ont totalement disparu.

En 1922, Varley exposa avec le Groupe une version hybride de l'un de ces tableaux de "personnage dans un paysage", qui s'appelait simplement *Allégorie (Allegory)*, (propriétaire actuel inconnu). A en juger par les rapports de presse, ce tableau créa une grande confusion et fut l'une des excentricités de l'exposition. Un critique le décrivit comme comprenant une

mère égyptienne d'une beauté sculpturale nourrissant son bébé au pied d'un pin qui forme un rideau de branches, une mare s'étendant en arrière, un amoncellement de pierres, et un garçon maussade en vêtements de ville, regardant dans l'infini, un jouet [bateau] délaissé en-dessous.[83]

Le sens de cette "allégorie" est obscur mais la "mère égyptienne d'une beauté sculpturale" est probablement la femme de Varley (fig. 57). Elle lui servit de modèle pour un grand nombre de ses tableaux. Il coupa ses traits en des profils sévères, et lui fit prendre des poses antiques rigides. Bien que peu de ces tableaux existent encore, la silhouette de Dorothy, la fille de l'artiste, qui apparaît à l'arrière-plan de *Le soir, au camp (Evening in Camp)* (fig. 64), montre ce goût pour des portraits stylisés à la Gauguin. Ils paraissent maintenant bizarres et démodés, mais au début des années vingt ils représentaient une rupture radicale par rapport à l'anatomie naturaliste.

La seule fois que Varley montra beaucoup d'enthousiasme, en Ontario, pour un tableau purement de paysage fut durant les premières années de l'existence du Groupe des Sept. Maud et lui-même rencontrèrent les Lismer à la fin de l'été 1920 pour faire des esquisses près de la maison du Docteur MacCallum à la Baie Georgienne. Il en résulta quelques beaux panneaux, généralement sombres, dont l'un fut travaillé pour devenir *Tempête, Baie Géorgienne (Stormy Weather, Georgian Bay)* (figs. 48, 50).

Ce fut probablement l'une des toiles les plus célèbres de Varley, et elle fut achetée par la Galerie Nationale en 1921, lors de la deuxième exposition du Groupe des Sept. Les quarante années suivantes, on identifia le peintre avec cette seule oeuvre—ce qui le représente peut-être mal, car bien qu'il fût fier de son tableau, le sujet ne lui est pas typique du tout. Cette seule fois Varley unit sa destinée à celle du Groupe des Sept. Dans un geste de solidarité symbolique, il choisit comme sujet un arbre secoué par l'orage sur "la Baie", et lia ainsi, de façon permanente, son sort à celui du Groupe.

Les principaux succès de Varley jusqu'en 1926 furent dans le domaine de la peinture de portraits. Barker Fairley et Herbert Stansfield lui en firent l'éloge. (Herbert Stansfield était professeur de composition à l'Ontario Art College, et occasionnellement journaliste pour des magazines comme *The Canadian Forum*.[84]) Pourtant, la presse de Toronto lui accordait peu d'attention et les commandes étaient difficiles à obtenir et, une fois obtenues, encore faciles à perdre. En sept ans, il ne compléta que dix-sept portraits à l'huile, sur commande, et trois d'entre eux étaient des membres de la famille Fairley. Et même ces commandes étaient irrégulières. Il est possible qu'en 1922 il n'en ait reçu aucune; et pour 1923, on n'en connaît qu'une.[85]

La première de ces commandes date de la fin de l'été 1919, juste après que Varley fut retourné à Toronto. C'est un portrait de James Cappon (fig. 43), qui devait prendre sa retraite de Doyen de la Faculté des Arts à Queen's University de Kingston, en Ontario.[86] Comme la plupart des portraits des deux années suivantes, il fut probablement peint dans la vieille cabane de Tom Thomson, derrière le Studio Building. Le portrait est surtravaillé et, par endroits, retravaillé maladroitement, mais le modèle est très nettement caractérisé. Son expression cynique, son poing fermé, et sa pose presque insolente lui donnent un air puissant et sans pitié. La manière étroite dont le tableau encadre le sujet et son teint rougeâtre suggèrent l'influence de Degas.

On retrouve beaucoup de cette même aggressivité dans *Tête de Gitane (Gipsy Head)* (fig. 41), et dans *Auto-Portrait (Self-Portrait)* (fig. 42), tous les deux datant de 1919. Ce dernier tableau est un exercice pénétrant d'autobiographie. L'artiste nous confronte résolument, les lèvres pincées, le regard fixe et pénétrant. La façon étroite dont le sujet est encadré et les grands coups de pinceau employés ajoutent à la densité et à l'aspect massif de sa silhouette. Pourtant, si on le regarde de près, on peut déceler une lueur de crainte dans ses yeux, et les reflets clairs et sombres

43. *Dean Cappon, Queen's University*, 1919
oil on canvas / huile sur toile, 101.6 x 86.4 cm
The Agnes Etherington Art Centre, Queen's University
Kingston, Ontario

Probably Varley's most famous canvas, it was purchased by the National Gallery in 1921, from the Group of Seven's second exhibition. For the next forty years it served as his signature piece—which perhaps misrepresents him, for although he was proud to be seen with it, the subject is atypical. For once, Varley cast his lot with the Seven. In a gesture of symbolic solidarity he picked a storm tossed tree at the Bay for a subject, and in so doing, he permanently linked his fate to that of the Group.

Varley's principal achievements of the years up until 1926 were in the field of portraiture. For these he was intensely praised by Barker Fairley and Her-

bert Stansfield, an Instructor in Design at the Ontario College of Art and occasional contributor to periodicals like the *Canadian Forum*.[84] Yet he received little attention from the Toronto press and commissions were always difficult to obtain or even hang on to. In seven years he completed only seventeen commissioned oil portraits, and three of these were of members of the Fairley family. And even these commissions came irregularly. In 1922 it was possible that he received none at all, and in 1923 only one is known.[85]

The first of these dates from the late summer of 1919, just after Varley returned to Toronto. It is of James Cappon (fig. 43), who was about to retire as Dean of The Faculty of Arts at Queen's University in Kingston, Ontario.[86] Like most of the portraits of the next two years, it was probably painted in Tom Thomson's old shack behind the Studio Building. It is overworked and fudged in spots, but the sitter is vividly characterized. His cynical expression, closed fist, and almost insolent pose, give him a powerful, ruthless air. The tight cropping and ruddy colouration of his complexion suggest Degas' influence.

Much of the same fierceness is found in *Gypsy Head* (fig. 41) and *Self-Portrait* (fig. 42), both of which are also from 1919. The latter painting is a penetrating exercise in autobiography. The artist resolutely confronts us with pursed lips and a searching gaze. Tight cropping and broad brushwork add density and massiveness to his form. Yet if we look closely, we can detect a glimmer of fright in his eyes, and the light and dark passages that animate his face suggest a primitive mask—a suggestion that is reinforced by the splotches of "war paint" that appear above his left eye. Adding to the work's formal strength and expressive intensity, the composition is divided into four separate light and dark areas that diagonally balance each other, with light filling the top left and bottom right, and dark filling in the remaining areas. On one side of the artist's head, the top of which touches the edge of the canvas, a light filled studio appears. The other side is dark, and filled

44. *Portrait of Vincent Massey*, 1920 oil on canvas / huile sur toile, 120.6 x 141 cm
Hart House, University of Toronto ex: Group of Seven / Le Groupe des Sept / 1920

qui animent son visage suggèrent un masque primitif—suggestion renforcée par les taches de ''peinture de guerre'' qui apparaissent au-dessus de son oeil gauche. La composition ajoute à la force conventionnelle du travail et à l'intensité de l'expression: le tableau est divisé en quatre parties distinctes, claires et obscures, qui s'équilibrent de façon diagonale, le clair remplissant les coins en haut à gauche et en bas à droite, et le sombre remplissant le reste du tableau. D'un côté de la tête de l'artiste, qui touche d'ailleurs le bord de la toile, apparaît un atelier inondé de lumière. L'autre côté est obscur et rempli de formes abstraites confuses. L'artiste étale ainsi

devant nous ses luttes intérieures. Il lui faut constamment trouver un équilibre entre les agitations de son imagination et les exigences prosaïques du quotidien.

Barker Fairley organisa plusieurs commandes pour Varley. Il contribua à la commande du portrait de Cappon, et s'arrangea pour que Varley puisse faire un portrait de Vincent Massey pour le Hart House de l'Université de Toronto, au début de 1920.[87] Ce tableau (fig. 44) est peint dans des tons prédominants mauves et violets—des nuances de rouges. Selon F.B. Housser, il fut considéré comme ''le portrait le plus moderne du Dominion''[88] pour l'époque. Contrairement à la *Tête de Gitane*, datant de la même époque,

59

45. *Georgian Bay Sketch* No. 5, 1920
oil on wood panel / huile sur panneau de bois, 29.2 x 39.7 cm
(sight size / estimation visuelle)
Private / Collection / privée, London, Ontario

46. Right above/Ci-dessus à droite. *Georgian Bay*, 1920
oil on wood panel / huile sur panneau de bois, 30.5 x 40.7 cm
Mr. and Mrs. M.J. Dick, Calgary

47. Right/Droite. *Evening—Georgian Bay*, c. / v. 1920
oil on wood panel / huile sur panneau de bois, 30.2 x 40.6 cm
Private / Collection / privée, Vancouver

48. *Squally Weather, Georgian Bay*, 1920
oil on wood panel / huile sur panneau de bois,
29.9 x 41.3 cm The National Gallery of Canada / La Galerie
nationale du Canada.
Gift of / Don de / Mrs. S.J. Williams, Mrs. Harvey Sims,
Mrs. T.R. Cram, Miss Geneva Jackson
Kitchener, Ontario, 1943

49. Maud and Fred Varley, Georgian Bay / Baie Georgienne,
c. / v. 1920

50. Right/Droite. *Stormy Weather, Georgian Bay*, 1920-21 oil
on canvas / huile sur toile, 132.1 x 162.6 cm
The National Gallery of Canada / La Galerie nationale du
Canada, ex.: Group of Seven / Le Groupe des Sept / 1921

il y a peu de modelé. Le dessin anguleux montre la silhouette, pas la forme. Le résultat n'est pas satisfaisant, car la tête et le torse sont disproportionnés; mais, en l'espace d'un an, ce portrait lui valut deux autres commandes de la riche et influente famille Massey.[89]

Les meilleurs portraits de Varley étaient cependant ceux de sa famille et de ses amis. Le *Portrait de Margaret Fairley (Portrait of Margaret Fairley)* (fig. 52), la femme de Barker Fairley, qui date de 1921, est l'un des plus beaux. Les coups de pinceau sont richement orchestrés, et l'empâtement bien travaillé. Les couleurs sont appliquées de façon à former des plans monochromes, à l'intérieur desquels des changements de valeurs subtils ajoutent à l'effet d'opulence du tableau. Le dessin, sobre et tranchant, offre par-ci

par-là des points d'intérêt graphiques plutôt que de dompter la couleur ou la forme.

Dans beaucoup de ses portraits, Varley projette des ombres ou des colonnes verticales de couleur vaporeuse tout autour du modèle. Tout comme Munch ou Kokoshka, il utilise l'allégorie et les passages abstraits pour rendre un effet plus expressif. Le jeu de lumière embrumée et l'ombre—du style de Munch—projetée par la chaise dans le *Portrait de Vincent Massey (Portrait of Vincent Massey)* ont certainement rapport avec sa caractérisation du modèle—de même que les colonnes de lumière verticales formant une courbe qui jaillissent autour du portrait de son fils *John* (fig. 51).

Varley utilise aussi la couleur et un dessin déformé pour rendre des effets expressifs. Le rouge criard de

51. *John*, 1920-21
oil on canvas / huile sur toile, 61 x 50.8 cm
The National Gallery of Canada / La Galerie
nationale du Canada
ex.: O.S.A., 1921

52. *Portrait of Margaret Fairley*, 1921
oil on canvas / huile sur toile, 77.2 x 57.6 cm
Art Gallery of Ontario, Toronto. Gift of / Don de / Margaret
Fairley, 1958
ex.: *Portrait of Mrs. F.*, Group of Seven / Le Group des
Sept / 1921

with flowing abstract shapes. Thus the artist lays his psychological struggles out before us. He must mediate between a restless imagination and the prosaic demands of the present.

Barker Fairley steered several commissions towards Varley. He was instrumental in obtaining the Cappon portrait, and arranged for Varley to make a portrait of Vincent Massey for the University of Toronto's Hart House in early 1920.[87] This painting (fig. 44) is cast predominantly in mauves and purple-reds. According to F.B. Housser, it was considered "the most modern piece of portraiture in the Dominion"[88] for the time. Unlike the nearly contemporaneous *Gypsy Head*, there is little modelling. The angular drawing encloses shape, not form. The result is unsatisfactory, for the head and torso do not match, but it led to two more commissions from the wealthy and influential Massey family within a year.[89]

Varley's best portraits were, however, of family and friends. The 1921 *Portrait of Margaret Fairley* (fig. 52), Barker Fairley's wife, is among the most beautiful. The paint handling is richly orchestrated, with a finely kneaded impasto throughout. The colours are laid down in large monochromatic areas, within which subtle shifts of value add to the work's opulent effect. Drawing is spare and cutting, furnishing graphic highlights rather than subjugating colour or form.

Varley cast shadows or vertical columns of vaporous colour around the sitters in many portraits. Like Munch or Kokoschka, he used allegory and abstract passages for expressive effect. The watery play of lights and the Munch-like shadow cast by the chair in the *Portrait of Vincent Massey* certainly relate to his characterization of the sitter—as do the curving vertical columns of light that spring up around the portrait of his son *John* (fig. 51).

Varley also used colour and distorted drawing for expressive effects. The screaming red colouration of *Gypsy Head* adds much to the look of defiant pride that distinguishes the sitter. And the olive greens and dark ochres of the *Portrait of Chancellor Charles Allen Stuart* (fig. 67) reinforce the musty and tragic sentiment that this anatomically distorted figure seems to convey. Varley, who was often harsh in his judgement, considered this one of his finest achievements.[90]

The portraits of the mid-twenties are not as overtly expressive as those made immediately after the war. The *Portrait of Alice Vincent Massey* of c. 1924-

25 (fig. 66) exemplifies this change. Here, the rich variety of flourishes and embellishments that adorn the *Portrait of Margaret Fairley* give way to powerful design and large areas of unmodulated colour. Subtle changes in hue bring out the forms, and dark shadows are expunged. The aristocratic poise of the sitter is enhanced by the painting's architectonic solidity.

In 1924 Varley made an informal little oil on poster board of his eldest son John drawing a picture of himself before a mirror (fig. 68). Every object in the studio setting is placed at a diagonal to the edges of the painting, creating a dynamically balanced composition. The "canvas" in the top left corner appears again in *Portrait Group* of 1924-25 (fig. 39). An antecedent of this is *Las Meninas* by Velazquez, an artist who Varley expressed great admiration for at the time.[91]

53. *Portrait of Primrose Sandiford*, c. / v. 1921-22
charcoal and chalk on paper / fusain et craie sur papier,
40 x 33.2 cm
Private / Collection / privée, Toronto
ex.: possibly one of the three "child studies" exhibited at the O.S.A., 1922 / peut-être l'une des trois "études d'enfants" exposées à l'O.S.A., 1922

54. *Portrait of Huntly Gordon*, c. / v. 1921
oil on canvas board / huile sur toile cartonnée, 36.2 x 26.3 cm
Hart House, University of Toronto

Tête de Gitane ajoute beaucoup à l'air de fierté provocante qui fait la distinction du modèle. Et les vertolive et les ocres foncés du *Portrait du Chancelier Charles Allen Stuart* (*Portrait of Chancellor Charles Allen Stuart*) (fig. 67) renforcent le sentiment désuet et tragique que cette silhouette, déformée du point de vue anatomique, semble communiquer. Varley, qui souvent n'était pas tendre dans ses jugements, considérait ce tableau comme l'une de ses réalisations les plus remarquables.[90]

Ses portraits du milieu des années vingt ne sont pas si nettement expressifs que ceux qu'il avait faits immédiatement après la guerre. Le *Portrait de Alice Vincent Massey* (*Portrait of Alice Vincent Massey*) (fig. 66), de 1924-25 environ, est un exemple de ce changement. L'abondante variété de grands traits et d'ornements qui décoraient le *Portrait de Margaret Fairley* font place à une étude approfondie et à de grands plans de couleur sans modulation. Des changements subtils de tons font ressortir les formes, et les ombres très sombres sont maintenant éliminées. Le port aristocratique du modèle est mis en valeur par la solidité architectonique du tableau.

En 1924, Varley fit une petite peinture à l'huile, sur panneau, de son fils aîné, John, dessinant son propre portrait devant un miroir (fig. 68). Chaque objet de l'atelier est placé en diagonale des bords du tableau, créant ainsi une composition d'un équilibre dynamique. La "toile" dans le coin en haut à gauche apparaît à nouveau dans *Portrait de Groupe*, (*Portrait Group*) (fig. 39), 1924-25. L'un des antécédents à ce tableau est *Las Meninas*, par Vélasquez, un artiste envers qui Varley exprimait la plus grande admiration à cette époque.[91]

Portrait de Groupe, qui doit aussi quelque chose à Degas dans la composition des personnages, est sans

55. *The Island*, c. / v. 1920-21 oil on wood panel / huile sur panneau de bois, 29.9 x 40.3 cm
Private / Collection / privée, Montréal ex.: possibly / peut-être *The Island*, O.S.A. Little Pictures, 1921.
The address on the back is, however, from 1922-23 / Pourtant, l'adresse au revers indiquerait 1922-23.

56. *Maud Asleep*, c. / v. 1921-22
pencil and green chalk on paper / crayon et craie verte sur
papier, 17.8 x 21 cm
Private / Collection / privée

57. *Maud*, August 30 / 30 août, 1922
charcoal on paper / fusain sur papier, 22.9 x 25.4 cm (sight
size / estimation visuelle)
Private / Collection / privée

Portrait Group, which also owes something to Degas in the arrangement of the figures, is unquestionably Varley's most important painting of the mid-twenties. It is the study of the relationship of an obviously domineering mother with her two sons. The woman leans up against the youngest boy, forming one half of a protective spire that is completed by the edge of the "painting" on the boy's right. Her expression is proud and vain. The sunset reflected in the window behind her surrounds her head with hot flares of colour, the shapes of which suggest a hellish vortex and remind us again of Velazquez's paintings.

The little boy, dressed in a sailor suit, leans on his mother and holds open a book. His hand is small and "weakly" painted. He looks curious and slightly frightened. The elder boy sits several feet behind and slightly above his mother and brother. His figure is stiff, upright, and less developed than those of the other two. But his facial expression shows deeper understanding than theirs. The shape of his rigid torso is repeated by the house post to the right, suggesting that Varley thought he had a strong yet perhaps unbending character. Strangely, the landscape beside him is cast in full sunlight.

There are some problems with the painting—the apple or peach in the eldest boy's hand seems an academic contrast to the large massings of dark paint in the foreground—yet composition, colour, and meaning are fused exceptionally well. Upon seeing it, one critic declared Varley to be "easily the greatest

68

58. *Portrait of Dr. A.D.A. Mason*, c. / v. 1923
pencil, charcoal and chalk on paper / crayon, fusain et craie sur
papier, 35.3 x 25.1 cm (sight size / estimation visuelle)
McMichael Canadian Collection, Kleinburg, Ontario
note: paper has a 1922 watermark / la filigrane du papier est
de 1922

59. *Vincent Massey*, 1922
charcoal on paper / fusain sur papier, 49.8 x 40 cm
The Arts and Letters Club, Toronto

aucun doute le tableau de Varley le plus important qu'il ait peint aux environs de 1925. C'est l'étude du rapport entre une mère visiblement dominante et ses deux fils. La femme s'appuie contre son plus jeune fils, formant ainsi la moitié d'une "flèche" protectrice qui est complétée par la bordure du "tableau" à la droite du garçon. Elle a une expression fière et vaniteuse. Le soleil couchant qui se reflète dans la fenêtre derrière elle entoure sa tête de couleurs chaudes et flamboyantes, dont les formes suggèrent une spirale diabolique et nous rappellent encore une fois les tableaux de Vélasquez.

Le petit garçon, vêtu d'un costume de marin, s'appuie contre sa mère et tient un livre ouvert. Sa main est petite et peinte "sans vigueur." Il a l'air singulier

et légèrement craintif. Le garçon plus âgé est assis quelques pieds plus loin, à l'arrière, et un peu au-dessus de sa mère et de son frère. Sa silhouette est droite, rigide et moins développée que celle des deux autres. Mais l'expression de son visage montre plus de compréhension que la leur. La forme de son torse raide se répète dans celle du pilier de la maison à droite, ce qui suggère que Varley lui donnait un caractère ferme et peut-être même intransigeant. Chose étrange, le paysage à côté de lui existe en pleine lumière du soleil.

Le tableau pose quelques problèmes—la pomme ou la pêche dans la main de l'aîné semble faire contraste, d'une manière académique, avec l'amoncellement de couleurs sombres au premier plan—pour-

60. *Maud in Wicker Chair*, c. / v. 1923
pencil on illustration board / crayon sur carton à illustration,
19.7 x 15.9 cm
Private / Collection / privée

61. *Bobcaygeon*, 1923
charcoal and oil on paper / fusain et huile sur papier, 48.8 x
37.5 cm Helen E. Band, Toronto

63. Bookend papers for Marjorie Pickthall's *A Book of
Remembrance* / Pages de garde pour *A Book of Remem-
brance* de Marjorie Pickthall, Ryerson Press, 1924
pen, ink and graphite on paper / plume, encre et mine de
plomb sur papier, 23.6 x 33.7 cm. The National Gallery of
Canada / La Galerie nationale du Canada. (Exhibited in
Edmonton, Victoria and Ottawa only / Exposés seulement à
Edmonton, à Victoria et à Ottawa)

62. Bookend Papers for / Pages de garde pour / *Complete
Poems of Tom MacInnes*, The Ryerson Press, Toronto, 1923.

64. *Evening in Camp*, 1923
oil on canvas / huile sur toile, 76.8 x 66 cm
Private / Collection / privée,
Lindsay, Ontario   ex.: Group of Seven /
Le Groupe des Sept / 1926

tant, la composition, la couleur, et le sens de l'oeuvre se fondent admirablement. En voyant ce tableau, un critique déclara que Varley était "de loin, le plus grand portraitiste du Canada et l'un des six premiers peintres d'Amérique du Nord."[92]

Les sept années que Varley passa à Toronto après la guerre établirent certainement sa réputation au Canada, mais elles furent dures financièrement et souvent décourageantes. Il habita la ville jusqu'à l'été 1926, déménageant quatre fois durant cette période. Il acheta même une maison dans Colin Avenue, en 1922, mais ne put continuer à faire les paiements hypothécaires et finit par passer l'été de 1923 en campant sur un terrain de E.J. Pratt à Bobcaygeon, au Nord-Est de la ville.[93] Là, il peignit plusieurs tableaux de sa famille assise devant leur tente attendant qu'il ait remboursé ses dettes (fig. 64). L'une des oeuvres les plus remarquables faites à Bobcaygeon est un grand dessin au fusain, dont plusieurs parties peintes

à l'huile (fig. 61). Tout comme Cézanne, de qui il avait appris à utiliser la couleur pour donner la forme, il abandonna ce tableau et beaucoup d'autres à l'état "inachevé".

L'année suivante, la recherche d'un revenu l'emmena dans les Prairies. Il arriva à Winnipeg à la mi-janvier, où W.J. Phillips s'arrangea pour lui faire faire un portrait de Daniel McIntyre, directeur des écoles de la ville (Daniel McIntyre Collegiate Institute).[94] Puis, il partit pour Edmonton où il mit les dernières touches au *Portrait de Henry Marshall Tory* (*Portrait de Henry Marshall Tory, Université de l'Alberta*) qu'il avait commencé l'année précédente à Toronto. Il peignit aussi le *Portrait du Chancelier Charles Allen Stuart*, mentionné précédemment. Il fit également une courte visite à Calgary au début d'avril; et il est même possible qu'il soit allé dans les Rocheuses comme le prétendait F.B. Housser,[95] car bien qu'il n'ait fait allusion aux montagnes que dans

65. *The Wonder-Tree*, 1924
oil on canvas mounted on panel / huile sur toile   marouflée sur panneau, 52.7 x 52.7 cm
Hart House, University of Toronto ex.: Group of Seven / Le Groupe des Sept / 1925
note: now called / porte maintenant le titre de / *The Magic-Tree.*
(Not included in the exhibition / Oeuvre qui ne figure pas dans cette exposition)

portrait painter in Canada and one of the six leading painters of North America..."[92]

The seven years that Varley spent in Toronto after the War certainly established his reputation in Canada, but they were financially troubled and often disheartening. He lived in the city until the summer of 1926, moving four more times during the period. He even bought a house on Colin Avenue in 1922, but he defaulted on the mortgage and ended up spending the summer of 1923 camping on E.J. Pratt's property at Bobcaygeon, north-east of the city.[93] There he made several paintings of his family sitting in front of their tent, waiting for him to clear his debts (fig. 64). One of the finest Bobcaygeon works is a large charcoal drawing with several areas of oil paint added (fig. 61). Like Cézanne, from whom Varley learned to use colour to build form, he left this and many other paintings in "unfinished" states.

The following year, his search for income took him to the prairies. He arrived in Winnipeg in mid-January, where W.J. Phillips arranged for him to make a portrait of Daniel McIntyre, the city's school superintendent (Daniel McIntyre Collegiate Institute).[94] Then he went to Edmonton, where he put the finishing touches on the *Portrait of Henry Marshall Tory* (University of Alberta), begun the year before in Toronto, and painted the *Portrait of Chancellor Charles Allen Stuart* mentioned earlier. He also made

66. *Portrait of Alice Vincent Massey*, 1924-25
oil on canvas / huile sur toile, 81.9 x 61.6 cm
The National Gallery of Canada / La Galerie nationale du Canada.
The Vincent Massey Bequest / Legs de Vincent Massey, 1968
ex.: O.S.A., 1925

a short visit to Calgary at the beginning of April, and it is just possible that he went into the Rockies as F.B. Housser claimed,[95] for although he only made passing mention of the mountains in one letter,[96] a pencil drawing of Banff exists (private collection). He also made some book illustrations to help make ends meet (fig. 62). These include the amusing bookend papers for Majorie Pickthall's *A Book of Remembrance* in which a family of rabbits—symbols of sexual fertility—follows a nubile young maiden into the forest like a pack of furry bloodhounds (fig. 63).

In another money making venture, Varley also "gave assistance" to J.W. Beatty at the summer school of the Ontario College of Art in 1922.[97] He undoubtedly enjoyed the work, for although he disliked Beatty, it brought him into contact with fresh young minds. He demanded that his students put forth their best efforts, and taught them to think for themselves without fear. In October 1925 he returned to the Ontario College of Art as a full time staff member.[98] He was made the Instructor in Drawing from The Antique, and Drawing and Painting from The Draped Model, with pay set at $1,500 per session.[99]

He further supplemented his income in 1925-26 by taking on private students in his home on Yonge Street. While this heavy work load left little time for painting, his students at the Ontario College of Art regarded him as "a valuable and inspiring teacher"[100] and when he moved to Vancouver in the summer of 1926 he received glowing tributes from both his students at the O.C.A. and those that he had taught at home (figs. 72, 73).

67. *Chancellor Charles Allan Stuart*, 1924
oil on canvas / huile sur toile, 144.5 x 124.4 cm
University of Alberta, Edmonton
ex.: Group of Seven / Le Groupe des Sept / 1926

68. *The Young Artist at Work*, 1924
oil on illustration board / huile sur carton à illustration, 36.3 x 30.6 cm
Private / Collection / privée
ex.: O.S.A., Simpson's, 1924

une lettre,[96] il existe un dessin au crayon de Banff (Collection privée).

Il fit aussi quelques illustrations pour livres afin de "joindre les deux bouts" (fig. 62). Parmi ceux-ci se trouvent les amusantes pages de garde pour le livre de Marjorie Pickthall's, *A Book of Remembrance* dans lequel une famille de lapins—symboles de fertilité—poursuit une jeune fille nubile dans la forêt comme des chiens de meute en peluche (fig. 63).

Dans une autre tentative pour trouver de l'argent, Varley fut aussi "assistant" de J.W. Beatty aux cours d'été de l'Ontario College of Arts, en 1922.[97] Sans aucun doute, il eut du plaisir à faire ce travail, car bien qu'il n'aimât pas Beatty, cela le fit entrer en contact avec de jeunes esprits. Il exigeait de ses étudiants qu'ils fournissent tout leur potentiel, et leur apprit à penser par eux-mêmes, sans aucune crainte. En octo-bre 1925, il retourna à l'Ontario College of Art en tant que membre régulier à plein temps.[98] On le nomma Professeur de dessin d'imitation, et de dessin et de peinture d'après le modèle vêtu, avec un salaire de $1500 pour l'année scolaire.[99]

En 1925-26, il arrondit ses revenus en donnant des cours particuliers à des étudiants chez lui, rue Yonge. Bien que ce travail énorme lui laissât peu de temps pour peindre, ses étudiants le considéraient comme un professeur "hautement apprécié et stimulant".[100] Lorsqu'il déménagea à Vancouver, en été 1926, il reçut des hommages chaleureux de la part de ses étudiants à l'O.C.A. et de ceux à qui il avait donné des cours particuliers chez lui (figs. 72, 73).

70. *Portrait of the Artist's Wife*, 1925
oil on canvas mounted on board / huile sur toile marouflée sur panneau, 60.7 x 50.5 cm The National Gallery of Canada / La Galerie nationale du Canada
ex.: Annual Exhibition of Canadian Art / Exposition annuelle d'art canadien / The National Gallery of Canada / La Galerie nationale du Canada / 1927 note: now called / porte maintenant le titre de / *Portrait of Maud*.
(Not included in the exhibition / Oeuvre qui ne figure pas dans cette exposition)

69. *Janet P. Gordon*, 1925-26
oil on canvas / huile sur toile, 81.3 x 61 cm
Art Gallery of Ontario. Bequest of / Legs de / Huntly K. Gordon, 1973
ex.: O.S.A., 1926

71. *The Valley of The Don*, 1925
oil on wood panel / huile sur
panneau de bois, 29.8 x 40.6 cm
The Art Emporium, Vancouver

72. Left/Gauche. Farewell
message from Varley's private
students / Message d'adieu de
la part des élèves particuliers
de Varley, Toronto, August
1 / 1 août 1926
Private / Collection / privée

73. Right/Droite. Farewell
message from Varley's private
students and the Faculty of the
Ontario College of Art / Message d'adieu de la part des
élèves particuliers de Varley et
du corps enseignant de l'Ontario College of Art, August 6 / 6
août 1926
Private / Collection / privé.

VANCOUVER
1926–1936

74. *Cheakamus Canyon*, 1929
oil on wood panel / huile sur panneau de bois, 30.5 x 38.1 cm
Mrs. Ross A. Lort, Vancouver

On January 2, 1926, Varley turned forty-five. He had reached artistic maturity, but he was still very much at loose ends. He did not respond strongly to the pastoral countryside around Toronto, and thought that the formulas and pronouncements of Harris, Lismer, and Jackson were naive.[101] Yet the very eclecticism of his own paintings was troublesome. His figures set in landscapes did not work as well as he must have hoped; and fine as most of his portraits were, they did not provide a suitable subject for his more adventurous forays.

What did he want? As his portraits make clear, he saw painting as a tool for speculation and discovery. Colour and form were the basic units in a language of expression. He studied A.H. Munsell's analysis of colour, which concluded that a painting's "colour balance" has, like musical arrangement, psychological implications.[102] And through wide reading and a variety of interests he made analogies between the creative process in painting and in other fields. In 1927 he wrote for his students:

"Feeling" avails nothing without organization and restraint. Add "intellect" and "will" to emotion and you possess the three great qualities necessary for all aesthetic expression.
Emotion *senses the motif,* Intellect *the constructive, and* Will *the power to organize.*
Art is not merely recording surface life—incidents, emotions. The Artist divines the causes beneath which create the outward result.[103]

Yet how successful was Varley's own expression? Beyond the portraits, not very. As *The Wonder-Tree* of 1924 illustrates (fig. 65), his statements were still often cloying.

At the end of July 1926 he accepted the position of instructor of drawing and painting offered to him by Charles H. Scott, principal of the Vancouver School of Decorative and Applied Arts.[104] The decision was so sudden that the Ontario College of Art did not officially announce his resignation until September 22,[105] and his name was not included in the Prospectus for the Vancouver school that fall.

The Vancouver School of Decorative and Applied Arts was a new venture, opened the year before in the top floor of the School Board offices.[106] Its objectives were, predictably, "to give a thorough practical knowledge of industrial design, drawing, modelling, and decorative painting" to students "intending to follow, the various trades, manufactures, or professions requiring such knowledge."[107]

Vancouver itself was culturally backward. Although the British Columbia Art League, founded in 1920, was attempting to change this situation, and was primarily responsible for the founding of both the art school and the Vancouver Art Gallery,[108] the outlook of the members themselves was not broad enough to greatly improve the situation. Varley locked horns with some of them, including John Radford who represented the B.C.A.L. on the Advisory Committee of the art school during its first year of operation, and in February 1928 wrote to Arthur Lismer about the situation:
I'm pretty active over here but at times feel keenly the lack of an understanding atmosphere—One is very isolated. Not merely isolated but occasionally at enmity with people possessing appalling ignorance—It is necessary at times to yap at them & shut them up. Fellows like Radford who I believe is now completely muzzled. There are many such.

But he soon realized that the local authorities were too torpid to really thwart him, and developed a mutually adoring relationship with his young students, virtually all of whom were female.[109] He had no administrative duties,[110] and found his work totally engrossing. Sixteen months after arriving, he expressed the hope of forming an alliance with his students and establishing a "B.C. Group".[111]

J.W.G. Macdonald was the teacher at the school who Varley most closely befriended. Only twenty-nine years old, Macdonald thought little of painting before coming to Canada from Scotland in 1926. But Varley encouraged him to begin, then guided his

75. Sketching expedition north of Vancouver / Excursion au nord de Vancouver pour faire des croquis
From left / De gauche à droite: F.H. Varley, John Varley, J.W.G. Macdonald

Varley fêta ses quarante-cinq ans le 2 janvier 1926. Il était arrivé à maturité artistiquement parlant, mais manquait encore un peu de direction. La campagne autour de Toronto n'évoquait pratiquement rien en lui et il trouvait les formules et les avis de Harris, de Lismer et de Jackson un peu naïfs.[101] C'est pourtant l'éclectisme même de ses propres peintures qui causait des ennuis. Ses figures humaines situées dans un paysage ne réussissaient pas aussi bien qu'il l'avait espéré et, aussi bonnes soient-elles, ne fournissaient pas une très bonne matière à ses projets plus aventureux.

Que voulait-il? Comme ses portraits l'indiquent, il voyait surtout la peinture comme un outil de spéculation et de découverte. Pour lui, la couleur et la forme étaient les unités de base d'un language expressif. Il avait lu l'analyse de la couleur de A.H. Munsell qui en arrivait à la conclusion que "l'équilibre des couleurs," tout comme une orchestration musicale, avait des implications psychologiques.[102] Et grâce à de nombreuses lectures et à une diversité de centres d'intérêts, il en était arrivé à faire un parallèle entre le processus créateur en peinture et dans d'autres domaines. En 1927, il écrivait pour ses étudiants:

"Sentir" ne mène à rien si l'on n'a pas d'organisation et de retenue. Si vous ajoutez de l'"intelligence" et de la "volonté" à votre sensibilité, vous possédez les trois grands atouts essentiels à toute expression esthétique.
La sensibilité perçoit le motif, l'intellect la composition et la volonté la possibilité d'organiser le tout. L'Art n'est pas simplement l'enregistrement de ce qui se passe en surface. L'Artiste pénètre les causes sous-jacentes qui créent le résultat apparent.[103]

Quel est toutefois le degré de réussite atteint dans sa propre expression? En dehors des portraits, il n'est pas très grand. Comme le démontre *L'Arbre merveilleux (The Wonder-Tree)* de 1924 (fig. 65), sa propre expression manque encore fréquemment de vivacité.

A la fin juillet 1926, il accepta le poste de professeur de dessin et de peinture que lui avait offert Charles H. Scott, directeur de la Vancouver School of Decorative and Applied Arts (Ecole d'arts décoratifs et appliqués de Vancouver).[104] Il prit sa décision si soudainement que l'Ontario College of Art (Collège d'art de l'Ontario) n'annonça pas officiellement son départ avant le 22 septembre[105] et que son nom n'apparaissait pas dans le prospectus d'automne de l'établissement à Vancouver.

L'Ecole d'arts décoratifs et appliqués de Vancouver était nouvellement établie et avait ouvert ses portes l'année précédente dans des locaux situés au dernier étage du bâtiment de la Commission Scolaire.[106] Ses buts, comme on aurait pu s'y attendre, était de "donner [aux étudiants] désireux de se lancer dans les carrières, métiers ou professions diverses le nécessitant une connaissance pratique approfondie du dessin industriel, du dessin, du modelé et de la peinture décorative."[107]

Vancouver n'était pas très avancée du point de vue de la culture. Bien que l'Association pour la promotion de l'art en Colombie-Britannique (British Columbia Art League), fondée en 1920, tentait de changer cette situation, et était en grande partie responsable de la création à la fois de l'Ecole des arts décoratifs et de la Vancouver Art Gallery,[108] les vues de ses membres eux-mêmes n'étaient pas suffisamment larges pour améliorer cet état de choses de manière sensible. Varley entra en conflit avec certains d'entre eux parmi lesquels se trouvait John Radford qui représentait la British Columbia Arts League au conseil d'administration de l'école pendant sa première année de fonctionnement et, en février 1928, il décrivait ce qui se passait à Arthur Lismer de la façon suivante:

Ici, je me démène considérablement, mais je ressens parfois vivement le manque de compréhension auquel je me heurte. On se sent très isolé. Pas seulement isolé mais quelquefois carrément en guerre contre des gens dont l'ignorance est incroyable—Il est parfois nécessaire de leur aboyer après et de les faire taire. Des types comme Radford à qui je crois avoir fermé le bec définitivement. Et ils sont nombreux.

Mais il se rendit compte assez rapidement que les autorités locales étaient trop léthargiques pour vraiment se mettre en travers de son chemin, et un rapport d'adoration réciproque entre lui et ses élèves (qui étaient pratiquement toutes des jeunes femmes) se développa.[109] Il n'avait pas de devoirs administratifs[110] et trouvait son travail passionnant. Seize mois après son arrivée, il parlait de son espoir de former une alliance avec ses étudiants et d'établir un "groupe de la Colombie-Britannique".[111]

Le professeur avec lequel Varley s'était le plus lié d'amitié était J.W.G. Macdonald, un jeune écossais de vingt-neuf ans. Avant d'arriver au Canada en 1926, Macdonald n'avait pas vraiment pensé à se lancer dans la peinture, mais Varley l'encouragea à le faire et

76. *John Vanderpant*, undated / sans date

77. Varley painting on the verandah of his Jericho Beach house / Varley en train de peindre sur la véranda de sa maison à Jericho Beach, c. / v. 1927-33

development for several years.[112] Theirs never really became a relationship of equals, in part because Varley regarded Macdonald more as a son than a peer.

Through Charles Scott, he also met Harold Mortimer-Lamb,[113] a wealthy mining executive and accomplished pictorial photographer. Varley had great respect for his judgement,[114] but Mortimer-Lamb was something of an old cynic, without Varley's stamina or enthusiastic spirit. As a result, the two men remained slightly formal and guarded in their relations. This is clearly evident from the portrait that Varley made of Mortimer-Lamb in 1936 (fig. 138).

At the time of Varley's arrival, Mortimer-Lamb was in partnership with John Vanderpant, running a commercial art gallery and antique shop downtown.[115] Vanderpant was an internationally acclaimed pictorial photographer[116] and perhaps the most progressive thinking member of the British Columbia Art League.[117] Like Varley, his interests were wide ranging, and his opinions strong and informed. They developed an affectionate relationship characterized by lively, philosophical discussions, and cemented in part by their mutual love of music.[118]

Varley was enchanted by Vancouver's gentle climate and exotic setting from the start. The mountains, the ocean, the mists, and the long northern twilights, all captured and awakened his imagination. On January 6, 1927, he wrote to Eric Brown, Director of the National Gallery, of the house that he had rented in Point Grey, and of the magnificent scenery around him:

This bungalow is at the foot of a spacious garden, right on Jericho Beach, excellent for bathing—the cellar is the boat house containing a furnace built specially for 6 foot logs which I lug up from the beach—I have a large verandah off the main large room, built over the water.... the view is magnificent across the Straits to the mountains running North.... The water now is warmer than Georgian Bay in the Summer & at 7:30 this morning I ran out for a morning splash.

His feelings for nature were quickly reawakened by these majestic surroundings. He began to paint almost immediately—often painting from the verandah of the house itself (fig. 77). Although the early oil sketches are, like *The Wonder-Tree*, somewhat spoiled by over dramatized expression and "sticky" colour, Varley's sense of awe is effectively conveyed (figs. 78, 83).

78. *Howe Sound*, c. / v. 1927   oil on wood panel / huile sur panneau de bois, 28 x 36.8 cm The Art Emporium, Vancouver

guida son évolution pendant plusieurs années.[112] Leurs rapports ne furent, malgré tout, jamais vraiment d'égal à égal, en partie parce que Varley le considérait surtout comme un fils plutôt que comme un contemporain.

Grâce à l'entremise de Charles Scott, il rencontra également Harold Mortimer-Lamb,[113] qui était non seulement un cadre assez aisé de l'industrie minière mais aussi un photographe de revue accompli. Varley respectait énormément son jugement,[114] mais Mortimer-Lamb était plutôt un vieux cynique et ne possédait pas l'énergie et l'enthousiasme du peintre. Leurs rapports s'en ressentirent et demeurèrent quelque peu formels et réservés. Ceci apparaît clairement à travers le portrait que Varley fit de Mortimer-Lamb en 1936 (fig. 138).

Au moment de l'arrivée de Varley, Mortimer-Lamb tenait, avec son partenaire John Vanderpant,

une galerie d'art commerciale et un magasin d'antiquités au centre-ville.[115] Vanderpant était un photographe artistique de renommée internationale[116] et le plus progressiste, sans doute, de tous les membres de la British Columbia Art League.[117] Il avait, comme Varley, les intérêts les plus divers et des vues solides et bien étayées. Ils se lièrent d'une profonde amitié renforcée par leur amour partagé pour la musique et avaient souvent des discussions philosophiques animées.

Dès le début, Varley fut enchanté par Vancouver, son climat doux et son cadre exotique. Les montagnes, l'océan, les brumes et les longs crépuscules nordiques, tous captivaient et stimulaient son imagination. Le 6 janvier 1927, il écrivait à Eric Brown, directeur de la Galerie nationale, au sujet de la maison qu'il louait à Point Grey et de la campagne magnifique autour de lui:

The interplay of mountain and cloud forms particularly interested him, and became one of the standard themes of his British Columbia landscapes. But it was the vast scale of his surroundings that affected him most. He could project himself across Burrard Inlet, picking up subjects fifteen or twenty miles away. And from his perch on the verandah, high above the water, he could detach himself from life's problems and devote himself fully to his work.

He began to generalize, to abstract, to radically experiment. He pushed the forms of the North Shore mountains into dozens of new, and at times totally unrecognizable shapes. Only the hump of Stanley Park before them clearly identifies the terrain in some of these oil sketches (fig. 92). But what distinguishes and unites all of these works is Varley's new hedonism with paint, colour, and form. He seemingly feasted on his pigment. Not surprisingly, the mountains in some of these paintings ended up looking like marbelled beef—one Englishman's answer to Matisse's *Luxe, calme et volupté*.

In the summer of 1927 he began to explore other parts of the province. After some weekend painting along the shore in West Vancouver, he left around July 20 for an extended sketching trip to the Garibaldi meadows around the Black Tusk, deep in the

79. *Early Morning, Sphinx Mountain*, 1927-28 oil on canvas / huile sur toile, 119.7 x 140 cm
McMichael Canadian Collection, Kleinburg, Ontario ex.: Group of Seven / Le Groupe des Sept / 1928
(Not included in the exhibition / Oeuvre qui ne figure pas dans cette exposition)

Le bungalow est au fond d'un jardin spacieux donnant directement sur la plage Jericho (Jericho Beach), c'est parfait pour la baignade—la cave est un bateau-maison muni d'une chaudière spécialement construite pour brûler des bûches de 6 pieds de long que je monte de la plage à grands efforts—La pièce principale construite au-dessus de l'eau donne sur une grande véranda.... La vue est splendide: elle donne sur le détroit [les Straits] et sur les montagnes qui s'étendent vers le nord. L'eau est plus chaude en ce moment qu'elle n'est à la Baie Georgienne en été, et ce matin, à sept heures et demie, je suis aller piquer une tête.

Son amour de la nature se réveilla rapidement dans ce décor majestueux. Il se mit à peindre presque aussitôt arrivé. Souvent il peignait sur la véranda même (fig. 77). Bien que les esquisses à l'huile du début soient quelquefois gâtées par une expression un peu surfaite et par des couleurs "gluantes", elles traduisent fidèlement son émerveillement (figs. 78 et 83).

Ce qui intéressait particulièrement Varley, c'était le jeu des nuages avec les montagnes; et ceci devint un thème qui revient souvent dans ses paysages de Colombie-Britannique. Mais c'était l'immensité de tout ce qui l'entourait qui l'impressionnait le plus. Il

80. *The Cloud*, 1927-28 oil on canvas / huile sur toile, 86.8 x 102.2 cm
Art Gallery of Ontario, Toronto. Bequest of / Don de / Charles S. Band, 1970 ex.: Group of Seven / Le Groupe des Sept / 1928
(Not included in the exhibition / Oeuvre qui ne figure pas dans cette exposition)

81. *Mimulus, Mist and Snow,* 1927-28
oil on canvas / huile sur toile, 69.5 x 69.5 cm
London Regional Art Gallery. Gift of the Women's Committee
and Mr. and Mrs. Richard Ivey / Don du comité féminin et de M. et Mme Richard Ivey, 1972
ex.: Group of Seven / Le Groupe des Sept / 1928

82. *Red Rock and Snow*, 1927-28 oil on canvas / huile sur toile, 87 x 102 cm
Power Corporation of Canada, Montréal ex.: Group of Seven / Le Groupe des Sept / 1928

arrivait à se projeter quinze ou vingt miles, de l'autre côté du Burrard Inlet, pour y choisir ses sujets. Sur son perchoir, au-dessus de l'eau, il pouvait oublier les problèmes quotidiens et se donner entièrement à son travail.

Il commença à généraliser, à faire des abstractions et à faire des expériences radicales fondamentales. Il transforma la rive nord en des dizaines de formes nouvelles, parfois complètement méconnaissables; seule la bosse que forme le promontoire de Stanley Park permet dans certaines esquisses à l'huile (fig. 92) de s'assurer que c'est bien de ce coin qu'il s'agit; mais c'est l'hédonisme nouveau de Varley vis-à-vis de

sa peinture, de sa couleur et de ses formes qui différencie ces tableaux et leur donne à tous une unité. Il semblait se nourrir de pigment; et ce n'est pas surprenant que dans certaines de ces oeuvres les montagnes finissent par ressembler à des pâtés marbrés— l'équivalent anglais du *Luxe, calme et volupté* de Matisse.

Pendant l'été de 1927, il se mit à explorer d'autres parties de la province. Après avoir passé quelques fins de semaine à peindre sur la côte de West Vancouver, il partit, le 20 juillet environ, en expédition dans les prairies de Garibaldi, autour de Black Tusk, au coeur des montagnes au nord de Vancouver, pour y

83. *Evening after Storm*, c. / v. 1928
oil on wood panel / huile sur panneau de bois, 30.5 x 38.1 cm
The Agnes Etherington Art Centre, Queen's University, Kingston, Ontario

mountains north of Vancouver.[119] Macdonald joined him,[120] and Maud came along later.[121] Because of unusually heavy snowfalls during the preceding winter, they ended up camping in two feet of snow 5, 100 feet above sea level.[122] But the trip was a great success, and they returned in 1929. Macdonald later provided one of the best descriptions of the country: *Personally I do not believe that anything more magnificent will ever be found in B.C.—with its meadows, flowers, peacock coloured meadow pools and lakes, emerald green glacier lakes, four glaciers, black volcanic necks of rock; red cinder, pale ochre shale, and blue mountains.*[123]

Varley returned to Vancouver in mid-September,

and despite his heavy teaching schedule, hurriedly worked up four large paintings for inclusion in the next Group of Seven exhibition, set for February 1928 in Toronto. These appear to have been the first British Columbia canvases that he exhibited in the East,[124] and he excitedly anticipated their reception[125] —no doubt in part because he thought that he might have better luck selling these than his earlier figure paintings.[126]

A record crowd attended the opening,[127] and interest in the exhibition was high, but Varley's canvases met with nearly total incomprehension. One reviewer referred to them as "messes".[128] Another called them "elusive", and sniped at "their particu-

faire des esquisses[119]. Macdonald l'accompagnait[120] et Maud les rejoignit plus tard.[121] Comme il avait neigé plus que d'habitude l'hiver précédent, ils se trouvèrent en train de camper à 5.100 pieds au-dessus de la mer, entourés par deux pieds de neige.[122] Ce fut, néanmoins, une réussite et ils recommencèrent en 1929. Macdonald donna plus tard une des meilleures descriptions de l'endroit:

Personnellement, je ne crois pas qu'on trouve quelque chose de plus beau dans toute la Colombie-Britannique: ses prairies, ses fleurs, ses étangs et ses lacs colorés, ses lacs de montagne émeraude, ses quatre glaciers, ses orgues de roches volcaniques noires, ses cendres rouges, ses schistes ocre pâle et ses montagnes bleues.[123]

Varley revint à Vancouver à la mi-septembre et malgré ses nombreuses heures de cours, il arriva à rapidement élaborer quatre grandes toiles qu'il comptait inclure dans la prochaine exposition du Groupe des Sept, prévue pour février 1928 à Toronto. Ces oeuvres paraissent avoir été les premières provenant de Colombie-Britannique à être exposées dans l'Est[124], et il attendait avec impatience de savoir quel serait l'accueil qu'on leur réserverait—sans doute en partie parce qu'il pensait que ces toiles se vendraient un peu mieux que ses portraits ne l'avaient fait.[126]

Il y eut une foule record à l'inauguration[127] car l'exposition avait suscité un grand intérêt, mais les peintures de Varley se heurtèrent à une incompréhension presque totale. Un critique les traitait de "fouillis"[128]; un autre disait qu'elles étaient "difficiles à saisir" et leur reprochait leurs "couleurs particulièrement caractérielles."[129] Augustus Bridle, à l'instar de ces deux critiques, les associa avec les travaux les plus récents de Harris, mais en faisant remarquer que Varley "n'avait pas attrapé le virus Harris. Il se complaît encore à utiliser des couleurs chaudes, des masses texturales et des formes sombres, une accumulation de détails qui ne sont pas toujours topographiques, mais plutôt quelque chose que l'on pourrait saisir dans les mains ou sentir."[130]

Varley mettait très certainement l'accent sur l'aspect plastique de sa peinture. La forme glaciaire massive qui descend le long du côté gauche de *Sphinx Mountain, tôt le matin (Early Morning, Sphinx Mountain)* (fig. 79) est dessinée à l'aide de larges tourbillons et de courbes. Elle est en contraste avec les dalles rocheuses angulaires, peintes en densité, sur la droite. La ligne d'horizon haut-placée attire encore

84. *Vera*, 1928-29
pencil and chalk on paper / crayon et craie sur papier,
37.8 x 23.8 cm
Private / Collection / privée, Toronto

plus l'attention sur la pesanteur de ces formes que seules les couleurs vives et exotiques, et la lumière qui émane des cimes atténuent. Pourtant, on s'explique mal pourquoi le peintre a voulu faire flotter cette masse énorme au-dessus d'un lac. L'avant-plan de ce tableau, qui aurait été autrement puissant, semble complètement séparé et brouille les formes au bas de la toile. Bien que *Rocher rouge entouré de neige (Red Rock and Snow)* (fig. 82) soit peut-être moins aventureux du point de vue de la composition, on ne peut s'empêcher de conclure qu'il est mieux réussi.

Les autres toiles de Varley faisant partie de l'exposition étaient: *Le Nuage (The Cloud)* (fig. 80) et *Mimulus, brumes et neige (Mimulus, Mist and*

larly temperamental colours".[129] Like these first two reviewers, Augustus Bridle paired them with Harris' most recent work, but noted that Varley "has not caught the Harris germ. He still revels in hot colors, textural masses and gloomy forms, a mass of detail that may not be always topographical but is something you might grab or smell."[130]

Varley certainly emphasized the physicality of his paints. The massive glacial form that rolls down the left side of *Early Morning, Sphinx Mountain* (fig. 79) is laid down in broad swirls and curves. It contrasts with the angular, densely painted slabs of rock on the right. A high horizon line draws further attention to the weightiness of these forms, which are only relieved by the exotic, high-keyed colour and light that emanates from the mountain tops. But inexplicably, he attempted to float this corpulent mass above a lake. The foreground of this otherwise powerful work drops off completely, muddling the forms at the bottom of the painting. Although *Red Rock and Snow* (fig. 82) is perhaps safer in design, we cannot help but conclude that it is more successful.

The Cloud (fig. 80) and *Mimulus, Mist and Snow* (fig. 81) were the other two canvases that Varley exhibited. The latter was his most abstract work to date, and one of the strangest paintings that he ever made. The mimulus—small mountain flowers—fill the shaggy shape in the foreground with strong yellows, reds, and greens. The background, from which the "flowers" nearly detach themselves is a complete fantasy, created in the manner of decorative Russian folk art, which was highly regarded at the time. Varley was certainly familiar with this form of expression, as was evident from his interest in Nicholas Roerich,[131] a fashionable Russian expatriate artist who often introduced folk art elements into his academic pastiches of Post-Impressionist landscapes. Although the result in *Mimulus, Mist and Snow* is spatially and stylistically disjointed, it should be considered in any future history of Canadian abstraction.

Written off as something of a crank by most of the critics and collectors of the period, Varley made his most immediate mark on his students. Through slides, books, lectures, and demonstrations, he filled his eager young followers with everything that he knew about art and aesthetics. Among those who benefited most from this contact were E.J. Hughes and Philip Surrey, both of whose early works were heavily indebted to Varley (figs. 85, 86). Fred Amess, who later became principal of the school, was another student:

In order to understand the impact of Mr. Varley upon the school, it is necessary to get an idea of our work up to his time. Although in first year we had life models, the method of drawing was tight. A careful blocking in from a stereotyped pose, this taking at least a two hour period, then a careful drawing in line

85. E.J. Hughes, *Trees on Savary Island*, 1936
etching / eau forte, 20.2 x 25.3 cm (image size / dimension de l'image) Art Gallery of Greater Victoria / Gift of / Don de / Harold Mortimer-Lamb (Not included in the exhibition/ Oeuvre qui ne figure pas dans cette exposition)

86. Philip Surrey, *Nox Nocti Indicat Scientiam*, 1934
oil on canvas / huile sur toile
Private / Collection / privée, Montréal
(Not included in the exhibition/Oeuvre qui ne figure pas dans cette exposition)

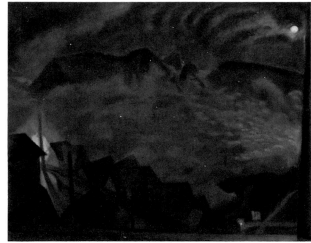

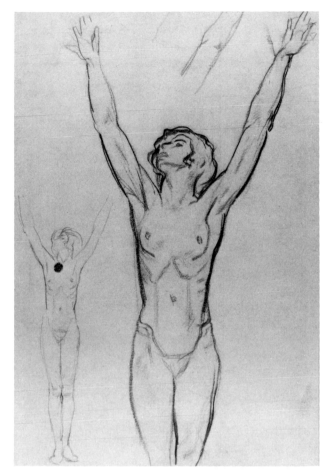

87. *Double Nude, Arms Raised*, c. / v. 1929
charcoal on paper / fusain sur papier, 45.1 x 29.8 cm
The Art Emporium, Vancouver

88. *Young Mountaineer*, c. / v. 1929
pencil on paper / crayon sur papier, 29.2 x 19.7 cm
C.E. Carsley, Toronto

Snow) (fig. 81), la dernière de ses oeuvres étant la plus abstraite à ce jour et une des plus bizarres qu'il ait jamais créées. Les jaunes forts, les rouges et les verts du mimulus (une petite fleur de montagne) remplissent la forme effrangée à l'avant-plan. Le fond, duquel les "fleurs" se détachent presque entièrement, est complètement fantaisiste et fortement inspirée par l'art décoratif folklorique russe, qui était fort bien considéré à l'époque. L'intérêt que Varley éprouvait pour Nicholar Roerich[131], un artiste russe en exil et fort à la mode, qui introduisait souvent des éléments d'art folklorique dans ses pastiches académiques de paysages post-impressionnistes, est la preuve qu'il connaissait certainement ce mode d'expression. Bien que le résultat dans *Mimulus, brumes et neige* soit désarticulé stylistiquement et

spatialement, il mériterait d'être pris en considération dans une éventuelle historique de l'art abstrait au Canada.

Etant considéré comme perdu, parce qu'il était si difficile, par la plupart des critiques et des collectionneurs, c'est sur ses étudiants que Varley exerça le plus d'influence immédiate. Grâce à des diapositives, aux livres, à ses cours magistraux et à ses démonstrations, il apprit tout ce qu'il savait sur l'art et l'esthétique à ses jeunes disciples, avides de connaissance. E.J. Hughes et Philip Surrey furent parmi ceux qui bénéficièrent le plus de la présence de Varley, comme le montrent leurs oeuvres de jeunesse (figs. 85, 86). Un autre de ses étudiants était Fred Amess, qui allait quelques années plus tard devenir le directeur de l'école:

89. *Approaching the Black Tusk—Garibaldi*, 1929 oil on wood panel / huile sur panneau de bois, 30.4 x 38 cm
Private / Collection / privée, Edmonton. note: The studio address on the back is from 1929-31.
The only recorded trip to Garibaldi during this period was in 1929. / L'adresse de l'atelier
inscrite au revers est celle de 1929-31. Le seul voyage documenté au parc Garibaldi à cette époque a été fait en 1929.

for two hours and another four hours of careful shading ending with the toes on Friday afternoon.... [Varley's] introduction of charcoal, large sheets of manilla, standing at easels to draw, exciting poses— five, ten, twenty minute and half hour poses (fig. 87) was almost too much and I got so excited, at my seventeen years, that I could hardly sleep at night....

We first imagined Varley to be a self-primed fount of knowledge, but we soon discovered that he was rather a spout through which flowed all the new excitements of the world, spiced rather than tamed by sound academic training. It was a violent stream that was hosed upon us, but those with roots were nourished, even if some were washed away; and it

90. *Looking Towards Seymour*, 1929
oil on wood panel / huile sur panneau de bois, 30.5 x 38.1 cm
Ontario Heritage Foundation Firestone Art Collection, Ottawa
note: dated in the artist's handwriting on a label on the back /
Oeuvre datée par l'artiste sur une étiquette au revers du tableau

Pour bien comprendre l'impact de M. Varley sur notre école, il est utile de se faire une idée de ce que nous faisions jusqu'à son arrivée. Même si en première année nous avions eu des modèles vivants, la méthode de dessin était rigide. Nous passions au moins deux bonnes heures à faire attentivement une esquisse de base dans une pose stéréotypée. Ensuite nous prenions deux heures pour remplir les traits et puis quatre heures pour ajouter les ombres avec précaution, et nous finissions par les doigts de pied vendredi après-midi. Il introduisit l'utilisation des fusains et de grandes feuilles de manille, le dessin debout au chevalet, des poses stimulantes pour lesquelles les séances duraient cinq dix, vingt minutes et

enfin une demi-heure (fig. 87). Ce fut presque trop et je devins si enthousiaste, avec mes dix-sept ans, que j'arrivais à peine à dormir la nuit....

Au départ nous nous imaginions que Varley était une source de connaissances qui s'alimentait toute seule, mais nous nous rendions rapidement compte qu'il était plutôt une fontaine à travers laquelle s'écoulait toutes les nouveautés fascinantes du monde, réhaussées plutôt qu'abâtardies par une formation académique solide. C'était un flot violent, dirigé et constant; et même si quelques-uns furent emportés par ce courant, ceux qui avaient de bonnes racines furent abreuvés. Nous apprîmes assez tôt que la force de ce torrent résidait dans l'énorme réservoir

was a directed, steady stream. We soon learnt that the reservoir of this enormous power lay in books. For drawing, it was Vernon Blake's "Art and Craft of Drawing", for colour it was Ostwald, and for History, Elie Faure, with overtones of Freud in all cases.[132]

Actually, while Amess was at school, Varley used Munsell, not Ostwald for colour. This is where he learned to organize his own palette. In *A Color Notation*, first published in the United States in 1905, Munsell declared that "Successful pictures and decorative schemes are due to some sort of balance uniting 'light and shade' (value), 'warmth and coolness' (hue), with 'brilliance and grayness' (chroma)."[133] He then went on to describe four possible ways of harmonizing colour. The first was the safe method of simply lightening or darkening values. The second involved the more complex problem of combining neighbouring hues, such as green, turquoise, and blue, of like value and chroma. The third added the problem of changes in value to the second. And the fourth added complementary contrasts and changes in chroma to the third.[134]

Varley taught all four routes to colour harmony, but in his own paintings he generally used a palette of closely related hues, with relatively small changes in value or chroma. Strong chromatic or complementary contrasts are uncommon, and usually follow Munsell's general law that the stronger a colour is, the smaller the area in which it can be employed.[135] His paintings also tend, for the most part, to be fairly dark.

Varley's preference for greens suggests, however,

91. *Dawn*, c. / v. 1929
oil on wood panel / huile sur panneau de bois, 30.5 x 38.1
Jess Crosby, Orangeville, Ontario
ex.: Winter Exhibition / Exposition d'hiver, B.C. Society of
Fine Arts, Art Gallery of British Columbia, Vancouver, 1929

que sont les livres. *Pour le dessin, c'était l'"Art and Craft of Drawing" de Vernon Blake, pour la couleur, Ostwald, et pour l'histoire, Elie Faure, et un peu de Freud dans chacun des cas.*[132]

En fait, du temps d'Amess, Varley se servait plutôt de Munsell que d'Ostwald pour la couleur. C'est là qu'il avait appris à organiser sa propre palette. Munsell déclarait dans *A Colour Notation*, publié aux Etats-Unis pour la première fois en 1905, que "les peintures et les motifs décoratifs réussis le sont grâce à un certain équilibre unifiant 'le clair et le foncé' (la valeur), 'la chaleur et le froid' (la tonalité) et 'la brillance et le gris' (l'intensité)."[133] Il poursuivait en décrivant les quatre manières possibles d'harmoniser les couleurs: La première, la méthode sûre, par laquelle on assombrissait ou éclaircissait la valeur;

pour la deuxième, plus complexe, il s'agissait de mélanger des tons voisins, comme le vert, le turquoise, et le bleu, de valeur et d'intensité semblables; la troisième ajoutait à la seconde les problèmes de changement de valeur; et la quatrième, des changements et des contrastes d'intensité complémentaires à la troisième.[134]

Varley enseignait les quatre possibilités pour harmoniser la couleur, mais généralement n'utilisait lui-même qu'une palette de tons très rapprochés et des changements de valeur ou d'intensité relativement mineurs. Les contrastes chromatiques ou complémentaires importants sont peu fréquents et le plus souvent suivent la loi générale de Munsell, selon laquelle plus la couleur est forte, plus la surface sur laquelle on peut s'en servir est réduite.[135] Pour la

92. *Coast Mountain Forms*, c. / v. 1929
oil on wood panel / huile sur panneau de bois, 30.5 x 38.1 cm
The National Gallery of Canada / La Galerie nationale du Canada.
Gift of / Don de / Miss Carolyn Morris, Ottawa, 1952   ex.: Winter Exhibition / Exposition d'hiver /
B.C. Society of Fine Arts, Art Gallery of British Columbia, Vancouver, 1929

93. *View from My Studio Window, Vancouver,*
c./v. 1928-29 oil on canvas / huile sur toile, 111.1 x 95.8 cm
Winnipeg Art Gallery. Acquired with assistance from the
Women's Committee and the Woods-Harris Trust Fund
No. 1 / Oeuvre acquise grâce à l'aide du Comité féminin
et du Woods-Harris Trust Fund No. 1
ex.: R.C.A., Special Exhibition, Calgary, 1929

94. *Vera*, 1929 oil on canvas / huile sur toile, 61 x 50.8 cm
The National Gallery of Canada / La Galerie nationale du
Canada, 1930 Winner of the Willingdon Arts Competition /
Oeuvre qui a gagné le Concours Willingdon Arts
(Not included in the exhibition/Oeuvre qui ne figure pas dans
cette exposition)

that he was at least familiar with Wilhelm Ostwald's colour theories. Unlike Munsell and earlier theorists, who had divided the colour sphere into three "primary colours" (red, yellow, and blue), Ostwald discovered that the colour sphere in reality included four "principal colours" (red, yellow, blue, and seagreen). This realization, which only became widely known in English speaking countries after the Windsor and Newton paint company published Ostwald's *Colour Science* in 1931, drew importance to the little studied range of hues between yellow and blue.[136]

But Varley was open to influences from dozens of sources. He often used "prismatic colour", which emphasized the top end of the colour spectrum, and led him to employ iridescent blue-greens and violets. And the striking topographical similarities of British Columbia and the Orient caught his imagination, leading him to borrow motifs from early Chinese art. The rearing dragon/tree stump on the right of *Camp* of 1934 (fig. 113) resembles a piece of carved jade. Like the Chinese, Varley sensed that a governing principle (*li*) pervaded the country, harmoniously generating an abundance of life and forms, and making "all things ... worthy subjects of attention".[137]

Although he considered aesthetics a matter for discovery rather than dictation, he found parallels between his own observations and Buddhist teaching. Like the Buddhists, he categorized his colours, attributing specific psychological meanings to each. This process began in Toronto, but it was only after his arrival in Vancouver that he developed a comprehensive colour theory. He perceived that "colour vibrations"[138] emanated from objects, and by the early thirties saw his subjects through a "film of colour",[139] and started casting his paintings around one or two specific hues.

The meanings that he attributed to colours relate to the five basic qualities of Tantric energy, and each colour can have good or bad connotations.[140] For Varley, they derived in large part from intuition; and whereas in Buddhist tradition green is associated with good or bad Karma—that is, either with energy and action or envy and paranoia[141]—he thought of it as "spiritual"[142] in a more distinctly Western sense. He also considered the "colours of the earth" to be "lusty", and "pale violet" to be "aesthetic".[143]

But Varley simply used this theory of colour psychology as a starting point in his paintings, and once the correct "mood" had been established he selected and combined colours with undoctrinaire freedom.

95. *Vera*, 1930
oil on canvas / huile sur toile, 61 x 50.8 cm
The National Gallery of Canada / La Galerie nationale du Canada.
The Vincent Massey Bequest / Legs de Vincent Massey / 1968
ex.: R.C.A., 1930

96. *Ten*, 1930
oil on canvas / huile sur toile, 99.6 x 84.1 cm
Provincial Archives of British Columbia, Victoria
note: now called porte maintenant le titre de *Church
at Yale, B.C.*
ex.: Annual Exhibition of Canadian Art, The National Gallery
of Canada / La Galerie nationale du Canada, 1931
Honourable Mention, Willingdon Arts Competition / Mention
honorable, Concours Willingdon Arts
(Not available for the exhibition / Oeuvre non disponible pour
cette exposition.)

97. Vera Weatherbie, *Solitude*, c. / v. 1932
oil on wood panel / huile sur panneau de bois, 29.7 x 37.3 cm
Art Gallery of Greater Victoria, Gift of the Artist / Don de
l'artiste
(Not included in the exhibition / Oeuvre qui ne figure pas dans
cette exposition)

He also felt that there was a scientific basis for his findings, and would have rejected overtly mystical or spiritual interpretations of his work. His palette lightened or darkened according to his feelings; and whether as "an adornment",[144] or for psychological effect, he introduced dozens of new colours and colour combinations to Canadian art. Indeed, Varley's achievements as a colourist will continue to interest us long after the crust of "meaning" falls from his art.

It is also worth mentioning that he gave Vera Weatherbie, one of his students, much of the credit for his development in British Columbia. He paid homage to her in a letter dated November 8, 1939: *I learnt more of Art, true Art in those years [in B.C.] than at any other period—You taught me. I'm afraid I did not give you 50-50—The most precious moments of work & understanding were then—& always I have kept the belief that soon I can prove how much your comradeship has meant to me—I have not yet acquired the art of getting over all the snags. Whether I have or not I treasure the many things you did for me or by your influence made me do.*

This startling declaration of gratitude was made to a woman who had only been eighteen when they first met in 1927. That year she studied third year painting, drawing, and composition with him. Varley's infatuation with her led him to exaggerate her talent, and probably the influence that she had on him. But there were several ways in which she could have affected him. She was for one thing, a fanciful colourist. The oil sketches that she made beside him are filled with unusual ochres and greens. Their compositions are clumsy, but the paint handling itself is often fluid and delicate (fig. 97). It is certainly conceivable that they led Varley to lighten his own touch and colour, although they are in large part the products of her own training under him.

Vera also offered criticism and suggestions to Varley. She scraped the paint off *Dhârâna* (fig. 104) when it initially went astray,[145] and provided so much help with other works that he referred to her as a co-producer.[146] But above all else, Varley and she were like-thinking romantics. As Varley put it in another of his glowing tributes:
both of us worked better together because we knew

98. *Blue Ridge—Upper Lynn*, c. / v. 1931-33
oil on wood panel / huile sur panneau de bois, 30.5 x 38.1 cm
Private / Collection / privée, Ottawa

plupart, ses tableaux ont aussi tendance à être sombres. Le penchant de Varley pour les verts nous suggère, toutefois, qu'il devait au moins connaître les théories sur la couleur de Wilhelm Ostwald. Contrairement à Munsell et aux autres théoriciens avant lui, qui avaient divisé l'univers des couleurs en trois "couleurs primaires" (rouge, jaune et bleu), Ostwald, lui, avait découvert qu'il comprenait en fait quatre "couleurs primaires" (rouge, jaune, bleu et vert marin). Cette prise de conscience, qui s'étendit largement dans les pays anglophones après que la société de fournitures d'art Windsor et Newton eut publié l'étude *Colour Science* d'Ostwald en 1931, donna une nouvelle importance à la gamme de tons peu étudiée qui se situe entre le jaune et le bleu.[136]

Mais Varley était ouvert à toutes sortes d'influences. Il se servait souvent de "couleurs prismatiques", ce qui mettait en valeur le haut du spectre coloré et le poussait à utiliser des bleus-verts et des violets iridescents. Les ressemblances frappantes entre le relief de la Colombie-Britannique et celui de l'Orient stimula son imagination et le conduisit à emprunter des motifs à l'art chinois ancien. La souche qui se dresse à droite dans *Camp*, de 1934, (fig. 113) ressemble à un dragon en jade sculpté Comme les Chinois, Varley sentait que la campagne était imprégnée d'un principe directeur (*li*) qui produisait une abondance de vie et de formes en harmonie et rendait "toute chose... un sujet digne d'intérêt."[137]

Même s'il considérait que l'on découvrait l'esthétique par soi-même, plutôt qu'elle nous soit dictée, il trouvait des parallèles entre ses propres observations et les théories bouddhistes. Comme les Bouddhistes, il catégorisait ses couleurs en leur attribuant à chacune une valeur psychologique spécifique. Il avait commencé ce processus à Toronto mais ce n'est qu'après son arrivée à Vancouver qu'il établit une théorie générale de la couleur. Il avait l'impression que des "vibrations colorées"[138] émanaient des objets. Vers le début des années trente, il voyait ses sujets à travers une "fine couche de couleur"[139] et se mit à centrer ses tableaux autour d'une ou deux tons particuliers.

Les significations qu'il attribuait aux diverses couleurs avaient trait aux cinq qualités de base de l'énergie tantrique et chacune de ces couleurs pouvait avoir

99. *Three Clouds and a Tree*, c. / v. 1930
oil on wood panel / huile sur panneau de bois, 30.2 x 37.8 cm
The National Gallery of Canada / La Galerie nationale du Canada.
Gift from the / Don de la / Douglas M. Duncan Collection, Toronto

100. *The Open Window*, 1932
oil on canvas / huile sur toile, 102.3 x 87 cm
Hart House, University of Toronto
ex.: exhibited as / oeuvre exposée sous le titre de / *Morning*,
All-Canadian Exhibition, Vancouver Art Gallery, 1932
note: partly repainted before it was displayed again at the
C.N.E. in 1933 / oeuvre retouchée en partie avant d'être
exposée de nouveau, en 1933, à l'E.N.C.

the countryside—we felt its character and its moods belonged to us.... They were magnificent full days & I believe we were both remarkably happy when trying to express & disgruntled if we did not attempt—This harmony, quickened into activity, permeated everything we saw.... God, we lived splendidly with no limitations to dreams.[147]

Varley's drawings and paintings of her are distinguished from the start by the cool intimacy of the depictions. In the first works her youth is still vividly evident. As if to accentuate this, Varley applied rose chalk to one early drawing (fig. 84). But by 1930 she had matured into a haunting, sensual beauty, and Varley began to render her in a cool clear palette of greens and blues (fig. 95).

Here we see a supreme example of Varley's mature style of portraiture. The colour and the lilting rhythm of the drawing are extraordinarily refined. Vera's head, neck and blouse are cast predominantly in mauves, dividing the painting into an essentially blue left side and green right side. The contour of her shoulder on the left side is broken, allowing the blue smock and background to quietly merge. Planes of transparent colour blend the figure and ground still further. This fusion relates the figure to the background more effectively than in Varley's earlier portraits.

Colour seems to emanate from Vera's head, and a transparent white diamond floats before her heart. The mauves and greens around her face declare her aesthetic and spiritual nature. Yet it would be unwise to place too literal a meaning on these devices, for their principal purpose was to enhance rather than to dictate the characterization of the sitter.

From 1930 to 1936 Vera was virtually the only model that Varley used. In some of the later paintings she has a sickly, languid gaze, indicating a troubled side to their relationship. The tightly compressed format of *Portrait (of a Girl)* of about 1933 (fig. 106) adds a positively neurotic element to the characterization.

Unfortunately, Varley was isolated from the main stream of Canadian art, and few of his paintings were exhibited in the East. He submitted small numbers of paintings most years to the Royal Canadian Academy and to the National Gallery's *Annual Exhibition of Canadian Art*, but only received much recognition in 1930 when he shared the $200 first prize for painting with George Pepper in the Willingdon Arts Competition,[148] and in the 1931 annual exhibition of the R.C.A. in Montreal.[149]

101. *Lumberman's Arch, Vancouver*, c. / v. 1931-33
oil on card / huile sur carton, 15.2 x 21.6 cm
Peter Ohler, Masters Gallery, Calgary

102. *Open Window*, 1931
pencil and watercolour on cardboard /
crayon et aquarelle sur carton, 23.8 x 19.1 cm
Private / Collection / privée, Vancouver
ex.: Exhibition by Mr. F.H. Varley,
Vancouver Art Gallery, 1932

de bonnes ou de mauvaises connotations.[140] Pour Varley, elles étaient en grande partie attribuables à l'intuition alors que dans la tradition bouddhiste le vert peut être associé à la fois avec le bon Karma ou le mauvais—c'est-à-dire, soit avec l'énergie et l'action, soit avec la jalousie et la paranoïa—[141] tandis que lui le voyait plutôt comme étant "métaphysique"[142] dans un sens plus occidental. Il pensait également que les "couleurs de la terre" étaient "pleines de vitalité" et le "violet pâle" "esthétique".[143]

Mais Varley se servait uniquement de sa théorie de l'effet psychologique des couleurs comme point de départ pour ses oeuvres et, une fois qu'il avait établi "l'atmosphère" qu'il fallait, il sélectionnait et mélangeait ses couleurs sans contraintes. Il considérait aussi qu'il devait y avoir une explication scientifique à ses découvertes, et aurait rejeté une interprétation trop mystique ou métaphysique de son oeuvre. Sa palette devint plus sombre ou plus claire selon son humeur; et il introduisit des dizaines de couleurs et d'associations de couleurs en art canadien, que ce soit pour l'effet "décoratif"[144] ou psychologique. En effet, les résultats que Varley atteignit en tant que coloriste continueront à nous intéresser longtemps après que son art aura perdu sa couche de "signification".

Cela vaut également la peine que l'on note que Varley attribuait en grande partie à une de ses étudiantes, Vera Weatherbie, la responsabilité de son évolution en Colombie-Britannique. Il lui rendit hommage dans une lettre datée du 8 novembre 1939: *J'ai appris plus sur l'Art, le vrai Art, pendant ces années [passées en Colombie-Britannique] qu'à tout autre moment—C'est toi qui m'as enseigné. J'ai bien peur que je ne t'aie pas donné la moitié—C'était les plus précieux moments de travail et de compréhension—et toujours j'ai gardé la certitude que je pourrai bientôt te prouver combien ta camaraderie m'est chère.—Je crois que je n'ai pas encore maîtrisé l'art de surmonter les hics. Que ce soit le cas ou non, je chéris toutes les choses que tu as faites pour moi ou que j'ai faites grâce à ton influence.*

Cette surprenante déclaration de reconnaissance, Varley la faisait à une femme qui n'avait que dix-huit ans lorsqu'ils se rencontrèrent pour la première fois en 1927. Cette année-là, elle était en troisième année et avait étudié la peinture, le dessin et la composition avec lui. A cause de son entichement pour elle, il surestimait sans doute son talent et l'influence qu'elle eut sur lui. Il se peut qu'elle l'ait affecté de plusieurs manières. Par exemple, elle était pleine d'imagina-tion en tant que coloriste. Les esquisses à l'huile qu'elle a faites à ses côtés contiennent toutes sortes d'ocre et de verts inattendus. La composition en est souvent maladroite, mais la manière de peindre est délicate et fluide (fig. 97). Bien qu'elles soient en grande partie le produit des études qu'elle faisait sous sa direction, on peut très bien concevoir qu'elle ait mené Varley à alléger ses propres couleurs et sa propre touche. Vera lui faisait aussi des critiques et des suggestions. Elle enleva au racloir la peinture de *Dhârâna* (fig. 104) lorsque cette oeuvre s'égara des intentions initiales de Varley et aida tant et si bien à la réalisation d'autres toiles qu'il en parlait en l'appel-lant sa co-productrice. Mais par-dessus tout, Varley et elle étaient des romantiques aux idées semblables. Comme il l'écrivait dans une autre de ses lettres élogieuses:

Nous travaillions mieux ensemble parce que nous connaissions le paysage—nous croyions que son ca-ractère et ses humeurs étaient nôtres .... Nos journées étaient magnifiques et bien remplies et je crois que nous étions remarquablement heureux lorsque nous essayions d'exprimer quelque chose et mécontents quand nous n'avions pas essayé—Cette harmonie, se cristallisant en activité, imprégnait tout ce que nous voyions. .... Grand Dieu, nous vivions de manière splendide, avec nos rêves sans bornes.[147]

Les dessins et les tableaux de Varley qui représen-tent Vera se distinguent dès le début par leur calme intimité. Dans les premières oeuvres, sa jeunesse est encore très évidente. Et Varley a utilisé de la craie rose dans un de ces dessins comme pour mettre encore plus l'accent sur cette jeunesse (fig. 84). Mais, dès 1930, quand elle était devenue une beauté sen-suelle et enchanteresse, Varley se mit à utiliser une palette plus froide et plus claire de bleus et de verts pour ses portraits d'elle (fig. 95).

Ceci est un excellent exemple de la maturité stylis-tique de Varley en matière de portraits. Il y a un raffinement extraordinaire dans la couleur et dans le rythme souple du dessin. Le cou de Vera, sa tête et son chemisier sont à dominante mauve, ce qui divise le tableau essentiellement en deux parties: le côté gauche bleu et le côté droit vert. Le contour de son épaule est brisé sur la gauche, ce qui permet à sa blouse bleue de se fondre discrètement avec l'arrière-plan. La forme humaine et le fond sont confondus encore plus grâce à des plans de couleur transparente. C'est cette fusion du personnage et du fond qui est mieux réalisée que dans les premiers portraits de Varley.

103. *Study for Dhârâna*, 1932
photograph taken by John Vanderpant of an original drawing,
now lost / photographie d'un dessin original, maintenant
perdu, prise par John Vanderpant
Mrs. R.W. Purves, Vancouver

Nor did he exhibit frequently in Vancouver, although he displayed works periodically in Vanderpant's gallery, and participated in three of the Vancouver Art Gallery's annual B.C. artists exhibitions. *Dhârâna* (fig. 104) was included in the first of these in October 1932. Mortimer-Lamb discussed it at length in the December 10 issue of *Saturday Night*, comparing its sombre tonality with the high keyed colour that Varley often used earlier in Ontario. It returns to the figure in landscape theme of the teens and twenties; and while the iridescent green-mauves and gold that Mortimer-Lamb described in his article have sunken over the years, it remains one of Varley's most important paintings from the early thirties. The title is a Buddhist term denoting oneness with the landscape.

Varley had two solo exhibitions during his years in the West, the first of which was held at the Art Institute of Seattle in January 1930.[150] It included thirty-three oil sketches and canvases, but no portraits.[151] John Hatch, the Director of the Art Institute, was enthusiastic about the work and placed the show on the exhibition circuit of the Western Association of Art Museum Directors.[152] The public art museums in San Diego, Los Angeles, and San Francisco all agreed to take it, and an opening date of August 23 was set with the San Francisco Art Association;[153] but at the last minute Varley pulled out because of the poor sales in Seattle.[154] It was clearly a short-sighted decision, and illustrates the artist's peculiar obstinance. *He* knew that he was good. If nobody wanted to buy his paintings, he would not bother showing them. The decision must have been a disappointment to Hatch, who also arranged for Varley to teach summer classes in 1930 at the Art Institute, and before Varley's arrival "hailed" him as "one of the foremost contemporary painters."[155]

Varley's second solo exhibition on the West Coast was held at the Vancouver Art Gallery in December 1932.[156] It included fifty-five "landscapes in oil", all but three of which were almost certainly oil sketches, as well as twenty-nine drawings, and six watercolours, a medium that the artist had rarely touched since World War One.

Only a handful of these works can now be identified from the elementary checklist and newspaper reviews. Among these is a watercolour entitled *Open Window*. This is almost certainly the exquisite little study of 1931 that Varley made on cardboard (fig. 102) for his large canvas of the same title. But it

104. *Dhârâna*, 1932
oil on canvas / huile sur toile, 86.4 x 101.6 cm
Art Gallery of Ontario, Toronto. Gift from the / Don du
Albert H. Robson Memorial Subscription Fund, 1942
ex.: First Annual B.C. Artists' Exhibition, Vancouver Art Gallery, 1932

105. *Mood Tranquil*, 1932
pencil and watercolour on paper / crayon et aquarelle sur papier, 29.9 x 37.5 cm (sight size / estimation visuelle)
Private / Collection / privée, Vancouver
ex.: painted in the late fall of 1932. Arrived too late to be included in the / oeuvre exécutée en 1932, à la fin de l'automne et qui est arrivée trop tard pour faire partie de la / First Annual Exhibition of Western Watercolor Painting, California Palace of the Legion of Honor, San Francisco, 1932

seems unlikely that this is the first of the "open window" paintings. The Winnipeg Art Gallery owns another that was made about two years earlier (fig. 93).

Varley liked the "frame within a frame" as a compositional device and as a metaphor for his own newly awakened vision. In early 1932 he painted the subject once again, this time using his mature and symbolic palette (fig. 100). The result is without question his most serene and inspired painting of the period. Leaving the centre of the canvas "empty", and employing his "spiritual" greens throughout, he invoked a meditative state, and proclaimed his unity with nature more convincingly than in the slightly later *Dhârâna*.

Some of his smaller oil sketches are just as beautiful. The iridescent violets and greens of *Fireweed*

On a l'impression que la couleur émane de la tête de Vera et qu'un diamant transparent flotte devant son coeur. Les mauves et les verts autour de son visage expriment sa nature spirituelle et son sens de l'esthétique. Pourtant, il serait dangereux de prêter une signification trop littérale à ces procédés qui sont destinés surtout à rehausser le portrait du caractère du sujet plutôt qu'à l'énoncer de façon doctrinaire.

De 1930 à 1936, Vera fut pratiquemment le seul modèle de Varley. Plus tard, dans certains des tableaux, elle a le regard maladif et las, ce qui indique le côté troublé de leurs rapports. Le format comprimé à l'extrême de *Portrait d'une fille (Portrait of a Girl)* (fig. 106), datant sans doute de 1933, ajoute une touche parfaitement névrotique au portrait.

Malheureusement, Varley était isolé du principal courant de l'art au Canada. Bien peu de ses peintures furent exposées dans l'Est. Presque tous les ans il présentait un petit nombre d'oeuvres aux expositions de l'Académie Royale du Canada (Royal Canadian Academy) et à l'Exposition annuelle d'art canadien (Annual Exhibition of Canadian Art) à la Galerie nationale, mais ne fut reconnu de façon sensible qu'en 1930, lorsqu'il partagea le premier prix de peinture du Concours d'art Willingdon, et la somme de 200 dollars, avec Georges Pepper, [148] et en 1931 lors de l'exposition annuelle de l'A.R.C. à Montréal.[149]

Il n'exposait pas ses oeuvres très fréquemment à Vancouver non plus, bien qu'il l'ait fait de temps en temps à la galerie de Vanderpant et qu'il ait participé à trois des expositions d'artistes de Colombie-Britannique organisées par la Vancouver Art Gallery. *Dhârâna* (fig. 104) faisait partie de la première de ces expositions, en octobre 1932. Mortimer-Lamb en parle longuement dans le numéro du 10 décembre de *Saturday Night*, où il compare ses tons sombres aux couleurs vives que Varley utilisait souvent en Ontario lorsqu'il était plus jeune. Ce tableau dénote un retour au thème du portrait dans un paysage des décennies précédentes; et bien que le vert-mauve iridescent et l'or que Mortimer-Lamb décrivait aient quelque peu perdu de leur brillant au fil des ans, ce tableau demeure néanmoins l'un des plus importants du début des années trente. Le titre est une expression bouddhiste qui signifie l'unité de l'être et du paysage.

Pendant ses années dans l'Ouest, Varley eut deux expositions individuelles, dont la première fut tenue à l'Art Institute de Seattle, en janvier 1930.[150] Elle comprenait trente-trois toiles et esquisses à l'huile,

106. *Portrait (of a Girl)*, c. / v. 1933
oil on canvas board / huile sur toile cartonnée, 29.9 x 29.9 cm
Private / Collection / privée, Calgary
note: The model is Vera, but Varley preferred not to name her in the title. The date is also problematic. Varley himself once dated it as late as 1934. The frank and unflattering nature of the depiction suggests that it was probably painted some time after *Vera* (fig. 95), when Varley's infatuation with the model was clearly much stronger. / Vera a servi de modèle mais Varley a choisi de ne pas la nommer dans le titre du portrait. De même, la date de cette oeuvre est incertaine. Varley lui-même avait proposé la date plutôt avancée de 1934. Le caractère franc et peu flatteur du portrait suggère que Varley l'a probablement peint quelque temps après *Vera* (fig. 95), au moment où son engouement de ce modèle était évidemment plus fort.

mais aucun portrait.[151] Le directeur de l'Art Institute, John Hatch, fut tellement emballé par ses oeuvres qu'il mit l'exposition sur le circuit de l'Association des directeurs de musées d'art de l'Ouest (Western Association of Art Museum Directors).[152] Les musées d'art publics de San Diego, de Los Angeles, et de San Francisco avaient tous accepté de la présenter et la San Francisco Art Association avait fixé la date du 23 août pour l'inauguration;[153] mais Varley se retira à la dernière minute à cause de la maigreur des ventes à Seattle.[154] Cette décision fait preuve d'un singulier manque de clairvoyance et montre bien l'entêtement particulier de l'artiste. Il savait lui-même qu'il était bon et si les gens ne voulaient pas acheter ses ta-

(fig. 128) shimmer like exotic feathers. The looping brush drawing of the succulent shoots and flowers is dextrous and skillful. Everything presses forward into an intricate arabesque of rising and descending forms.

There is something feminine, even dainty, about many of these B.C. landscapes. Yet these qualities are very much in keeping with the actual character of Varley's surroundings. The longer he remained on the Coast, the more organic and supple his paintings became. Small evergreens jump heavenward in the foregrounds of many of them (fig. 99). A few delicate trails and touches of paint delineate the topography and undergrowth in others (fig. 90). Around 1934 he began to add small figures to some works, in much the same manner as the early Chinese artists whom he increasingly admired. Many of his watercolours are as delicate as Persian miniatures. It is amusing that the boy and girl that appear in one of them seem to have been taken from the "Hansel and Gretel" figures that represented fair weather in the toy barometer house that hung on his porch (fig. 129). Varley summarized his feelings in a letter to LeMoine FitzGerald:

if there is composition of form, there must be composition of mind & orderliness of emotion. The machine of patterns is better "scrapped", for mind surely only exists [when] woven through the fabric of all things.[157]

The early thirties was a period of intense, transcendent happiness for Varley. Although always in financial difficulty, his salary from the art school kept

107. *Tree Tufts*, c. / v. 1933-34 oil on wood panel / huile sur panneau de bois, 30.5 x 38.1 cm
The National Gallery of Canada / La Galerie nationale du Canada

bleaux, eh bien, il ne se donnerait pas la peine de les exposer. Cette décision a dû être une déception pour Hatch qui avait également pris des dispositions pour que Varley puisse enseigner des cours d'été à l'Art Institute, en 1930, et l'acclamait comme étant "l'un des meilleurs peintres contemporains" avant son arrivée.[155]

L'autre exposition solo de Varley, sur la Côte ouest, fut tenue à la Vancouver Art Gallery en décembre 1932.[156] Elle comprenait cinquante-cinq "paysages à l'huile," dont tous sauf trois étaient presque certainement des esquisses à l'huile, vingt-neuf dessins et six aquarelles, un moyen d'expression qu'il avait rarement utilisé depuis la guerre de 1914-1918.

Seul un nombre très restreint de ces oeuvres peut être identifié d'après le catalogue rudimentaire et les critiques dans les journaux. Parmi elles se trouve une aquarelle intitulée *Fenêtre Ouverte (Open Window)*. Celle-ci est presque certainement la petite étude exquise que Varley fit sur carton (fig. 102), en 1931, comme préparation à sa grande toile du même nom. Mais il semble peu probable qu'elle soit la première des peintures du type "fenêtre ouverte." La Winnipeg Art Gallery en possède effectivement une autre, sans doute antérieure de deux ans (fig. 93).

Le procédé qui consiste à mettre une peinture "en abymes" plaisait à Varley à la fois pour la composition et comme métaphore exprimant sa vision nouvelle. Au début de 1932, il utilisa le thème à nouveau, mais en utilisant cette fois la palette symbolique de sa maturité (fig. 100). Le résultat est sans aucun doute son tableau le plus serein et le plus inspiré de cette

108. *The Cherry Tree*, c. / v. 1934 oil on wood panel / huile sur panneau de bois, 30.3 x 37.8 cm
The Edmonton Art Gallery, Gift of / Don de / The E.E. Poole Foundation, 1968

109. *Lynn Peak and Cedar*, c. / v.
1934
watercolour on paper / aquarelle sur
papier, 20.4 x 26.8 cm
Canada Packers Inc., Toronto

110. *Gorge of the Sphinx*, 1934
ink and watercolour on paper / encre
et aquarelle sur papier, 28.9 x 35.3 cm
Art Gallery of Ontario, Toronto. Gift
from the / Don de la / McLean Foundation, 1958
note: The B.C. College of Arts is
given as the artist's address on the
back. Varley and Macdonald took students to Garibaldi in the summer of
1934. / Au revers de l'oeuvre, l'artiste
donne comme adresse le B.C. College
of Arts. Varley et Macdonald ont
emmené des élèves au Parc Garibaldi
au cours de l'été 1934.

période. En laissant le centre de la toile "vide" et par l'emploi de ses verts "métaphysiques," il provoque un certain état de méditation et proclame son unification avec la nature de façon bien plus convaincante que dans *Dhârâna*, qui lui est un peu postérieur.

Certaines de ses esquisses à l'huile de plus petit format sont tout aussi magnifiques. Les violets et les verts iridescents de l'*Herbe à feu (Fireweed)* (fig. 128) ont des reflets de plumes exotiques. Le coup de pinceau tourbillonnant qui décrit les courbes des pousses et des fleurs est en même temps sûr et adroit. Tout se bouscule vers l'avant en une arabesque complexe de formes ascendantes et descendantes.

Tous ces paysages de Colombie-Britannique ont quelque chose de féminin, de délicat presque. Pourtant, ces caractéristiques correspondent bien à l'environnement réel de Varley. Ses peintures devinrent plus organiques, plus souples, à mesure qu'il habitait sur la Côte plus longtemps. Nombreux sont les avant-plans où l'on trouve de petits conifères qui s'élancent vers les cieux (fig. 99). Dans d'autres tableaux, quelques touches ou traces délicates délimitent le relief et les broussailles (fig. 90). Vers 1934, il commença à ajouter de petits personnages à certains, à la manière des artistes chinois anciens qu'il admirait de plus en plus. Beaucoup de ses aquarelles rappellent les miniatures perses par leur délicatesse. Il est amusant de constater aussi que le garçon et la fille dans l'une d'elles paraissent avoir été dessinés d'après les petits personnages de "Hansel et Gretel" qui signalaient le beau temps pour la maison-baromètre qu'il avait suspendue devant l'entrée de sa propre maison (fig. 129). Varley résumait ses sentiments dans une lettre qu'il adressait à LeMoine FitzGerald: *Il faut qu'il y ait une composition de l'esprit et un ordre dans l'émotion, s'il doit y avoir une composition dans la forme. Il vaut mieux que l'automatisme des motifs soit mis de côté, car certainement l'esprit ne peut exister que [lorsqu'il fait] partie intégrante de la trame de toutes choses.*[157]

Le début des années trente fut pour Varley une période de bonheur intense et transcendant. Bien qu'il eût constamment des problèmes d'argent, le salaire qu'il recevait de l'école d'art lui permettait de subsister. Et malgré sa cinquantaine et son emploi du temps chargé, il semblait toujours pouvoir trouver la force de peindre et de jouir de la vie. Comme l'indique J.W.G. Macdonald dans une lettre datée du 14 juin 1932, Varley et lui-même se sentaient parfaitement en sécurité, car "l'Ecole ne fait pas attention à ces

111. *Head of a Girl*, c. / v. 1933-34   black chalk on paper / craie noire sur papier, 23.8 x 22.9 cm   The National Gallery of Canada / La Galerie nationale du Canada   note: reproduced in the Prospectus for the B.C. College of Arts / oeuvre reproduite dans le prospectus du B.C. College of Arts / 1934-35 (Exhibited in Ottawa, Montreal and Toronto only/ Oeuvre exposée seulement à Ottawa, à Montréal et à Toronto)

histoires de dépression économique. Nous continuons notre bonhomme de chemin et, si c'est possible, nous sommes plus vivants que jamais."[158]

A un moment Varley écrivait à un ami de Halifax: *La Colombie-Britannique, c'est le paradis .... Elle frémit en moi et me fait souffrir tant sa beauté m'émerveille; c'est comme lorsque le chant de la terre s'éveillait pour la première fois en mon for intérieur, quand j'étais enfant au vieux pays. Seulement ici les collines sont plus grandes, les torrents sont plus grands. Il y a la mer et le ciel immense; et les gens— des petites parcelles d'esprit—qui grimpent les pentes rocailleuses, gravissent et passent les cols, pêchent dans les ruisseaux, construisent des petites cabanes d'hermite dans des endroits abrités, se pelotonnent dans leurs sacs de couchage et dorment à la belle étoile. Les Japonais pêchent, les Chinois cultivent leurs potagers, et les Hindoos [sic] font les bûcherons, et je me dis souvent qu'il n'y a que les Chinois du XIe et du XIIe siècle qui aient jamais traduit le caractère d'un tel pays. Nous n'avons pas encore pris conscience de sa nature.*[159]

Mais le 8 mars 1933, la situation changea dramatiquement. Varley, Macdonald et Grace Melvin (qui

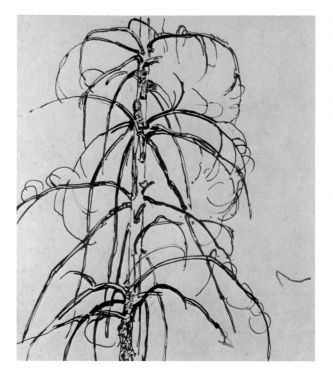

112. *Dead Tree*, c. / v. 1934
ink on paper / encre sur papier, 28 x 21.1 cm
Private / Collection / privée

him afloat. And despite a heavy teaching load, and his fifty-odd years of age, he seemed to be able to muster up endless reserves of energy for his painting and enjoyment of life. As J.W.G. Macdonald testified in a letter of June 14, 1932, Varley and he felt quite secure, for "The school is paying no heed to stories of depression. We go along very happily & keep possibly more alive."[158]

At one point Varley wrote to a friend in Halifax: *British Columbia is heaven.... It trembles within me and pains me with its wonder as when a child I first awakened to the song of the earth at home. Only the hills are bigger, the torrents are bigger. The sea is here, and the sky is as vast; and humans—little bits of mind—would clamber up rocky slopes, creep in and out of mountain passes, fish in the streams, build little hermit cabins in sheltered places, curl up in sleeping bags and sleep under the stars. The Japanese fish, Chinese have vegetable gardens, Hindoos [sic] haul wood, and I often feel that only the Chinese of the 11th and 12th century ever interpreted the spirit of such a country. We have not yet awakened to its nature.*[159]

But on March 8, 1933 the situation dramatically changed. Varley, Macdonald, and Grace Melvin (who taught lettering and illumination, embroidery, and pottery) were given notification that they would only be employed three days a week as of April 1, and that their salaries would be substantially reduced, with Varley taking the largest cut.[160] Macdonald and Varley were outraged, but their protests to the School Board proved futile, and they handed in their resignations for the end of the term.[161]

With the support of much of the student body, they decided to organize a school of their own. Harry Täuber, a Viennese stage designer who had arrived in Vancouver in 1931,[162] joined them to teach theatre arts, costume design, dance, interior decoration, and architecture.[163] The Christian Science Church opposite the Vancouver Art Gallery was rented, and Varley and Macdonald began to solicit private funds and support for their project.[164] The Church proved "too small for practical work",[165] and even before the school opened it was moved one block west to a former "motor showroom and garage"[166] at 1233-39 West Georgia Street, just west of the centre of the city.

On September 11, 1933, the first session of *The British Columbia College of Arts* began.[167] Two hundred and thirty-four full and part time students

110

113. *Camp*, 1934
ink and watercolour on paper / encre
et aquarelle sur papier, 22.9 x 31 cm
Vancouver Art Gallery
(stolen in 1974—never recovered /
oeuvre volée en 1974—jamais
récupérée)

114. *Mountaineers at Rest*, 1934
ink on paper / encre sur papier,
26.7 x 36.8 cm (sight size /
estimation visuelle)
Maltwood Art Museum and Gallery,
University of Victoria
note: Varley made few ink drawings
in B.C. Although some, such as those
reproduced in *Canadian Forum*, can
be positively dated as having come
from the late twenties, most seem to
date from around 1934. / Varley a fait
peu de dessins à l'encre en Colombie-
Britannique. Bien que certains d'entre eux viennent sûrement de la fin
des années vingt, la plupart d'entre
eux semblent dater des environs de
1934.

115. *Nude Standing*, c. / v. 1933-35
black chalk on paper / craie noire sur papier, 27 x 12.1 cm
The National Gallery of Canada / La Galerie nationale du Canada.
(Exhibited in Edmonton, Victoria and Ottawa only/Oeuvre exposée seulement à Edmonton, à Victoria et à Ottawa)

were enrolled.[168] Varley was made President, with Macdonald and Täuber acting as First and Second Vice-Presidents respectively, and Vera, Beatrice Lennie, and Margaret Williams, all of whom were former students of Varley, employed as assistants.[169]

Public interest was high from the start. At the beginning of 1934 Täuber's student production of *Volpone* drew crowds of four hundred each evening of its three night run.[170] The press gave the school events sympathetic coverage, and reported on Varley's ambition to link the College to art schools in the Orient.[171] In hopes of achieving this end, he invited members of the Japanese Consulate to visit the premises,[172] and on April 16, 1934, told H.O. McCurry that the Vice-Consul would:

help us in every possible way to make contacts with his country through exchange of exhibitions, written articles etc.—It is our hope as soon as possible to open Oriental branches in the College having as instructors the best we can procure from the East. We would like to have 50% oriental students, with classes for metal workers, cloisonné work, makers of toys etc. We would like to see the results of interchange of ideas and influence of varied work building up into probably a unique form of expression.

But the College was a financially unrealistic proposition from the start. In September 1934, at the beginning of its second year of operation, Varley wrote that "although the College is progressing splendidly with a life almost of its own, it has drained us heavily and its directors pass through lean years."[173]

This was an understatement, for he had already lost his home at Jericho Beach through failure to pay the rent, and he spent part of the summer of 1934 living in a run down cottage on Dempsey Road in North Vancouver, where his family largely subsisted on potatoes planted by the previous tenant. Under the strain, his marriage finally broke, and he moved into another cottage nearby to live alone. In the spring of 1935 the College itself collapsed, despite Varley's most dogged efforts to keep it going. He blamed Macdonald for its failure, apparently feeling that he had been faint hearted. But as Macdonald himself later explained:

Nobody knows better than myself why I couldn't stand the strain any longer. One glance at the company books would explain all & would reveal who fared best and worst. It was a worthwhile adventure and it has left a distinct record in this city—looked

116. *Sketch Book Group No. 1*, mostly c. 1934 / en majeure partie v. 1934
pencil drawings on paper / dessins au crayon sur papier
Private / Collection / privée, Toronto
note: Varley made several of these collages of small scraps of drawings for exhibitions in the fifties. Many were originally made on the backs of envelopes or the corners of letters. / Varley a fait plusieurs de ces collages, composés de petits bouts de dessins, pour des expositions dans les années cinquante. Beaucoup d'entre eux ont été faits d'abord sur des dos d'enveloppes ou sur des coins de lettres.

117. *Rice Lake—Lynn Valley, B.C.*, c. / v. 1934-36
pencil on manila paper / crayon sur papier bulle,
21.3 x 27.6 cm
Private / Collection / privée, Montréal

enseignait la calligraphie, l'enluminure, la broderie et la poterie) furent avisés qu'à partir du 1er avril on ne pourrait plus les employer que trois jours par semaine et qu'il faudrait sérieusement réduire leur salaire, celui de Varley étant le plus touché.[160] Macdonald et Varley furent ulcérés, mais leurs protestations auprès de la Commission scolaire s'avérèrent sans effets et ils donnèrent leurs démissions pour la fin du trimestre.[161]

Avec l'appui d'une bonne partie des étudiants, ils décidèrent de fonder leur propre école. Henry Taüber, un peintre en décors de théâtre viennois arrivé à Vancouver en 1931,[162] se joignit à leur équipe pour enseigner le théâtre, l'art des costumes, la danse, la décoration et l'architecture.[163] On loua la Christian Science Church (l'église de la science chrétienne) en face de la Vancouver Art Gallery. Varley et Macdonald se mirent à solliciter des fonds privés et à rechercher du soutien pour leur entreprise.[164] Mais l'église se révéla "trop petite pour les travaux pratiques"[165] et l'école déménagea une rue à l'ouest avant même d'ouvrir ses portes, pour s'installer dans un ancien "garage avec salon d'exposition d'automobiles,"[166] au 1233-39 ouest, rue Georgia, à deux pas du centre-ville.

La première session du British Columbia Arts College débuta le 11 septembre 1933,[167] avec deux cent trente-quatre étudiants inscrits à temps plein et à temps partiel.[168] Varley fut nommé président, assisté de Macdonald et de Taüber comme premier et second vice-présidents; Vera, Beatrice Lennie et Margaret Williams, toutes des ex-étudiantes de Varley, furent engagées comme assistantes.[169]

Dès le début il y eut un grand intérêt de la part du public: le *Volpone* que Taüber monta avec ses étudiants, au commencement de 1934, attira des foules de quatre cents personnes à chacune de ses trois représentations.[170] Les journaux couvraient les activités de l'école de façon encourageante et rapporta l'ambition de Varley de créer des liens entre le Collège et des écoles de beaux-arts en Extrême-Orient.[171] C'est dans cet espoir qu'il invita des membres du Consulat du Japon à venir visiter les lieux[172] et, le 16 avril 1934, il annonçait à H.O. McCurry que le Vice-Consul allait

faire tout son possible pour nous aider à établir des contacts dans son pays grâce à un échange d'expositions, d'articles écrits, etc.—Nous avons l'espoir de mettre sur pied aussitôt que possible une section orientale au Collège, ayant les meilleurs professeurs

118. *Reflections in the Lake*, c. / v. 1934-36
charcoal and watercolour on paper / fusain et aquarelle sur
papier, 27.5 x 38.2 cm
Private / Collection / privée, Toronto
note: The subject is Rice Lake / le sujet en est le lac Rice

*upon with pride by the citizens. It left no bad odour
with creditors or anyone else & the students have
formed a society to keep alive its memory.*[174]

The closure of the College effectively beached Varley. He had lost his family and all but a few posses-
sions. He was estranged from many of his former
supporters and followers, and had no way of making
a living. The private classes that he continued to give
were of "little account", for some of the students had
not the "money to pay when pay is due".[175] John
Avison, who had played the lead in *Volpone* a year
and a half before recalls that Varley was so hard up
that the two of them would sometimes "dine" on the
free crackers and ketchup placed at the tables of the
White Lunch downtown.[176]

Varley hung onto his small house at the end of
Lynn Valley Road and continued to paint—mostly
in watercolour, for "tubes of paint are meagre".[177]
His surroundings still enchanted him. Although his
house was within a block of a tram line, it was nestled
on the slope of a hill, with a panoramic view of Lynn

119. *Morning Mist*, c. / v. 1934-35
watercolour on paper / aquarelle sur papier, 16.8 x 26 cm
Private / Collection / privée, Vancouver

120. *Mountains in Mist*, c. / v. 1934-35
pencil and wash on paper / crayon et lavis sur papier, 20 x 27.7 cm
The National Gallery of Canada / La Galerie nationale du Canada.
Gift of the / Don de la / Douglas M. Duncan Collection, Toronto
(Exhibited in Edmonton, Victoria and Ottawa only / Oeuvre
exposée seulement à Edmonton, à Victoria et à Ottawa)

121. *Lynn Valley*, c. / v. 1934-35
pencil and watercolour on paper / crayon et aquarelle, sur papier,
21.6 x 26.2 cm (sight size / estimation visuelle) Private / Collection / privée, Niagara-On-The-Lake

Peak and Mount Seymour from the windows of the second floor. Lynn Creek itself passed through a deep gorge within one hundred feet of the house, and was straddled by a bridge that marked the way to Rice Lake, one of Varley's favourite painting spots (figs. 122, 123).

He had painted in this country since the late twenties, and in 1932 made the preliminary sketches for *Dhârâna* and some watercolours (fig. 103) on the porch of an abandoned fire ranger's cabin on the "Pipeline" road nearby. Lynn Peak, which he affectionately called The Dumpling, appears in dozens of his landscapes from that time on. It became another Mont Sainte-Victoire, and Varley must certainly have thought of Cézanne at times when painting it.

In the manner of the Chinese, he often pulled Lynn Creek into the foregrounds of his paintings, presenting us with an aerial view that links the tumbling water to its mountain source. His house is included in other paintings, placing Varley at the centre of an imaginary universe of lilting trees, contorting clouds, and gently rounded mountain forms. The creek itself sometimes winds its way up his paper in an exotic dance (fig. 132).

The pervading elements of metamorphosis and fantasy that animate these paintings are most obvious in the night scenes that Varley made on and off in 1934-35. In the most fanciful and Oriental of these, the mountain forms float about freely, detached from one another by clouds or the creek. They take on strange, hallucinatory appearances, and include passages of delicate beauty (fig. 121).

Some of these paintings include areas of free abstraction. Depicted in sweeps and flurries of broadly drawn brush strokes, the bottom half of a tree melds completely into the mountainous background of *Lynn Peak and Cedar* (fig. 109). It was only when his attention seemed to drift away from his subjects that he ran into difficulties. For all its beauty of colour, the foreground of *Lynn Peak* (fig. 127) is

116

122. Lynn Valley looking north, late 1930s / Lynn Valley en regardant vers le nord à la fin des années 30

123. Looking towards Mount Seymour from Varley's studio window at Lynn, with the bridge across Lynn Creek appearing in the lower right, late 1930s / En regardant vers le Mont Seymour par la fenêtre de l'atelier de Varley à Lynn, le pont qui traverse Lynn Creek paraissant en bas, à droite, à la fin des années 30

que l'on peut se procurer dans l'Est. Nous aimerions que les Orientaux forment la moitié de nos étudiants et qu'il y ait des cours de travaux sur métal, de cloisonné, de fabrication de jouets, etc. Nous souhaiterions que cet échange d'idées et l'influence des divers travaux aboutissent à une forme d'expression unique, sans doute.

Mais, dès le départ, le Collège n'avait pas été une entreprise très réaliste du point de vue financier. Au début de sa deuxième année de fonctionnement, en septembre 1934, Varley écrivait: "en dépit du fait que le Collège progresse admirablement et semble posséder une vie presque autonome, il nous a tous épuisés et ses directeurs sont en train de passer une période de vaches maigres."[173]

Ceci est un bel euphémisme car, ne pouvant payer le loyer, Varley avait perdu sa maison de Jericho Beach et avait passé une partie de l'été 1934 dans une maison délabrée de la rue Dempsey, à North Vancouver, et sa famille avait été obligée de subsister,

pour la plupart, en mangeant les pommes de terre plantées par le locataire précédent. Son mariage finit par s'effondrer à cause des tensions et il emménagea seul dans une maisonnette à peu de distance. Au printemps 1935, malgré les efforts acharnés de Varley pour le maintenir en vie, le Collège lui-même sombra. Il tenait Macdonald pour responsable de cet échec; il trouvait, semble-t-il, que celui-ci avait manqué de courage. Mais comme Macdonald expliqua plus tard:

Personne ne sait mieux que moi pourquoi je ne pouvais plus supporter les pressions. Il suffirait de jeter un coup d'oeil sur les livres de comptes pour tout comprendre et se rendre compte de qui s'en sortait le mieux, et le moins bien. Ce fut une belle aventure et elle a sa place dans l'histoire de notre ville—la population en est fière. Elle n'a pas laissé de mauvais goût dans la bouche des créanciers ou de qui que ce soit, et les étudiants ont formé une association pour en conserver le souvenir.[174]

rather aimlessly painted, and nearly pulls the water-colour apart.

Varley's pencil drawings, watercolours, and oil paintings from Lynn are not well known or understood yet, for most are small and easily overlooked. Only a sprinkling of canvases exist, the most challenging and successful of which is perhaps *Mount Seymour* (fig. 124), which he left in a radically "unfinished" state. As if his poverty and isolation made public statements difficult, Varley generally felt more comfortable working on an intimate scale.

But his living conditions were becoming intolerable. On December 7, 1935, he wrote to Eric Brown that "Against my impulses I am forced into the life of a hermit." "The little slips (on acct.) are mounting up", he informed Mortimer-Lamb three weeks later.[178] Something clearly had to be done. On February 23, 1936, seven weeks after his fifty-fifth birthday, Vanderpant and he wrote simultaneously to the National Gallery to request assistance in getting him east. The reason was ostensibly for Varley to see the Group of Seven retrospective, then on display at the Gallery, but in his letter to H.O. McCurry, Varley

125. *Seymour Valley*, c. / v. 1935
watercolour on paper / aquarelle sur papier, 22.2 x 27.3 cm
The Montreal Museum of Fine Arts / Le Musée des Beaux-Arts de Montréal. / Purchase, A. Sidney Dawes Fund / Acquis grâce au Fonds A. Sidney Dawes

124. *Mount Seymour*, c. / v. 1935
oil on canvas / huile sur toile, 80 x 100 cm
Mrs. Donald McKay, Toronto

La fermeture du Collège eut pour effet de mettre Varley sur la paille. Il n'avait plus de famille et avait presque tout perdu. Bon nombre de ses anciens disciples et anciens partisans l'avaient déserté, et il n'avait aucun moyen de gagner sa vie. Les cours privés qu'il continuait à donner "comptaient peu" étant donné que certains de ses élèves n'avaient "pas de quoi payer lorsqu'il le fallait."[175] John Avison, qui avait tenu le rôle principal dans *Volpone* un an et demi auparavant, se souvient que Varley était tellement dans le besoin qu'ils allaient parfois, tous les deux, "faire bombance" en mangeant les biscuits salés et le ketchup gratuits placés sur les tables au restaurant "White Lunch", en ville.[176]

Varley arriva à garder sa petite maison au bout de la route de Lynn Valley et continuait à peindre—surtout à l'aquarelle car "les tubes de peinture se faisaient rares."[177] Le cadre l'enchantait toujours. Le tramway passait à une rue de chez lui, pourtant sa maison était à flanc de coteau, avec une vue panoramique—les fenêtres du premier étage donnaient sur le Pic Lynn et le mont Seymour. Lynn Creek (nom du ruisseau) passait au fond d'une gorge profonde à une trentaine de mètres de la porte, et un petit pont sur le chemin du lac Rice, un des endroits que Varley préférait pour peindre, enjambait le torrent (figs. 122 et 123).

Cela faisait depuis la fin des années vingt qu'il peignait dans les environs et, en 1932, il y fit les esquisses préliminaires pour *Dhârâna* et pour quelques aquarelles (fig. 103), installé sur le porche d'une cabane de garde-feu, située tout près, au bord de la route du pipeline. On retrouve le Pic Lynn—qu'il appelait affectueusement "la Boulette" ("the Dumpling")—dans d'innombrables paysages à partir de ce moment-là. C'est devenu pour lui une autre montagne Sainte-Victoire et Varley a dû inévitablement penser à Cézanne quelquefois en le peignant.

Souvent il plaçait Lynn Creek au premier plan de ses tableaux, comme dans les peintures chinoises, pour présenter au spectateur une vue aérienne qui relie les eaux tourbillonnantes à leur source dans la montagne. Dans d'autres, il incluait sa maison et, ce faisant, se plaçait au centre d'un univers imaginaire rempli d'arbres qui se balancent, de nuages qui se tordent et de montagnes doucement arrondies. Parfois le torrent lui-même monte le long de la feuille de papier en serpentant, comme dans une danse exotique (fig. 132).

Les éléments de métamorphose et de fantaisie qui s'immiscent dans ces tableaux et les animent sont apparents surtout dans les scènes nocturnes que Varley exécuta par intermittence durant les années 1934 et 1935. Dans celles qui sont les plus fantaisistes et où

127. *Lynn Peak*, c. / v. 1935
black chalk and watercolour on paper / craie noire et aquarelle sur papier, 21.5 x 28.5 cm
The Edmonton Art Gallery. Purchased in 1980 with funds donated by Shell Resources, Canada, Ltd. / Acquis en 1980 avec des fonds fournis par Shell Resources, Canada, Ltée.

126. *Mountains, Lynn Valley*, c. / v. 1935
oil on wood panel / huile sur panneau de bois, 30.7 x 38.2 cm
The Edmonton Art Gallery. Gift of / Don de / Mrs. H.A. Dyde, 1956 (see cover / voir couverture)

128. *Fireweed*, c. / v. 1932-35
oil on wood panel / huile sur panneau de bois, 30.5 x 38 cm
Private / Collection / privée, Edmonton
note: The iridescent colour and rather stiff design of this
painting relate to the period 1932-34, but the paint handling
itself is loose and fluid, suggesting a later date. Varley, who
could not always recall the correct dates of his paintings,
thought that it was made during his last two or three years in
B.C., but suggested 1935 as the most likely date. / Les couleurs
iridescentes et le dessin plutôt raide de cette oeuvre
indiqueraient la période 1932-34, mais le maniement de la
peinture elle-même est relâché et fluide, ce qui suggère une
date ultérieure. Varley, qui ne se souvenait pas toujours très
précisément des dates de ses peintures, pensait qu'il avait
exécuté celle-ci au cours des deux ou trois dernières années
qu'il avait passées en Colombie-Britannique, mais a proposé
1935 comme la date la plus probable.

129. *The Trail to Rice Lake*, c. / v. 1935
watercolour on paper / aquarelle sur papier, 19 x 26.1 cm
Private / Collection / privée, Vancouver

130. *Cedars and Peaks*, c. / v. 1935
watercolour on paper / aquarelle sur papier, 28.2 x 35.5 cm (sight size / estimation visuelle)
Private / Collection / privée, Calgary

131. *Weather—Lynn Valley*, c. / v. 1935-36
oil on wood panel / huile sur panneau de bois, 30.5 x 38.1 cm
Art Gallery of Greater Victoria. Gift of / Don de / Harold Mortimer-Lamb

132. *Lynn Creek*, c. / v. 1934-35
pencil and watercolour on paper / crayon et aquarelle sur papier, 28 x 20.2 cm
The Edmonton Art Gallery. Purchased in 1981 / Acquis en 1981

la tendance orientale domine, les montagnes semblent flotter librement, séparées les uncs des autres par des nuages ou par le torrent. Elles prennent alors des apparences hallucinatoires et révèlent des passages d'une beauté délicate (fig. 121).

Certaines de ces peintures contiennent des parties librement abstraites. Le bas d'un arbre de *Pic Lynn et cèdre* (*Lynn Peak and Cedar*) (fig. 109), défini par des courbes pleines de vivacité et de larges coups de pinceaux, se fond complètement avec l'arrière-plan. C'est seulement lorsque son attention semble s'être éloignée du sujet que le peintre a rencontré des difficultés. Malgré toute la beauté de ses couleurs, le premier plan de *Pic Lynn* (*Lynn Peak*) (fig. 127) semble avoir été peint avec négligence et risque de détruire l'aquarelle entière.

Les dessins au crayon, les aquarelles et les huiles de *Lynn* sont encore méconnus et mal compris, car la plupart sont petits et il est facile de les sous-estimer. Il n'existe qu'une poignée de toiles dont la plus aventureuse et la plus réussie est sans doute le *Mont Seymour* (*Mount Seymour*) (fig. 124) qui a été laissé dans un état extrêmement "inachevé". Varley se sentait en général plus à l'aise lorsqu'il travaillait à petite échelle, comme si son dénuement et son isolation l'empêchaient de s'exprimer librement devant le grand public.

Mais ses conditions de vie devenaient insupportables. Le 7 décembre 1935, il écrivait à Eric Brown: "Je suis obligé de vivre en hermite, à l'encontre de mes dispositions naturelles". Trois semaines plus tard, il signalait à Mortimer-Lamb: "Les petites notes (de crédit) s'accumulent."[178] Il fallait absolument faire quelque chose. Le 23 février 1936, sept semaines après son cinquante-cinquième anniversaire, Vanderpant et lui écrivirent en même temps à la Galerie nationale pour qu'on l'aidât à venir dans l'Est. La raison donnée était que Varley devait voir la rétrospective sur le Groupe des Sept qui était en exposition à la Galerie à ce moment-là. Mais dans sa lettre à H.O. McCurry, Varley orientait le sujet plutôt vers les possibilités de travail:

Dernièrement, j'ai travaillé sur des oeuvres grâce auxquelles je pourrais me rapatrier, et je rêve de pouvoir susciter l'extase de la populace devant la prophétie de mon travail en peinture. Mais le manque de matériaux en a empêché l'expression et

133. *Looking Down on Lynn Valley*, c. / v. 1935
pen, chalk and wash on paper / plume, craie et lavis sur papier, 16.8 x 16.8 cm
The National Gallery of Canada / La Galerie nationale du Canada
(Exhibited in Ottawa, Montreal and Toronto only / Oeuvre exposée seulement à Ottawa, à Montréal et à Toronto)

134. *Snowtrees-Lynn*, 1935-36
pencil on paper / crayon sur papier, 21.6 x 28.6 cm
Private / Collection / privée, Vancouver

135. *Spring, Rice Lake*, 1936
pencil and watercolour / crayon et aquarelle sur papier,
15.9 x 18 cm
Art Gallery of Greater Victoria. Gift of Mrs. Vera Mortimer-
Lamb in memory of her husband / Don de Mme Vera
Mortimer-Lamb à la mémoire de son mari
note: The ducks that are reflected in the water at the lower
right suggested bombers to Varley, who was concerned that
there might be another war in Europe. / Les canards dont on
voit les reflets dans l'eau, en bas, à droite, faisaient penser,
selon Varley, à des bombardiers, car il se faisait des soucis
d'une autre guerre en Europe.

turned the subject towards possible opportunities for
work:

*Lately, I have built on work which I hoped would take
me to the old country, and have had dreams of arous-
ing the populace into ecstacy over the prophetic
utterances of my work in paint. Such profound utterances though have not been given expression
because of the failure to procure materials and "the
tubes are twisted and dried".... I am stranded in the
flats surrounded by indolent and sleepy natives who
yawn at me with more or less disinterested curiosity.*

*I cannot get off here without a rope of some kind.
In fact I cannot get away without a suit of clothes.... I
am out of everything usually looked upon as necessi-
ties and my once lusty cries are all but drowned in the
growling threats of creditors demanding their
dues.... What can I do in Ottawa?... What prospects
are there do you think for portraits?*

Much to its credit, the National Gallery acted. At
first Eric Brown arranged to have *Self Portrait* (fig.
42) considered for purchase from the Group of Seven
exhibition; but at the further urging of Vanderpant
to offer the artist immediate assistance, he bought
the painting for the collection and arranged for Varley to paint H.S. Southam, Chairman of the Board.[179]
The news arrived in Vancouver on March 24 by
telegram. "Fred leaving Tuesday", Vanderpant wired
back the following day. At the train station, the
Varleys and Vanderpants, and Philip Surrey and his
mother, gathered to bid him farewell.[180] The B.C.
years were over.

136. *Indians, Rice Lake*, 1936
oil on wood panel / huile sur panneau de bois, 30.2 x 38.1 cm
Private / Collection / privée, Vancouver
note: related to *Spring, Rice Lake*, and a preparatory study for
Indians, Rice Lake (The National Gallery of Canada) / oeuvre
qui a des affinités avec *Spring, Rice Lake* et avec une étude
pour *Indians, Rice Lake* (La Galerie nationale du Canada)

126

"les tubes sont tirebouchonnés et secs"...je suis coincé sur un banc de sable où je suis entouré d'autochtones qui baillent en me regardant avec plus ou moins de curiosité ou de désintérêt.

Je ne peux pas m'en tirer sans une corde d'une sorte ou d'une autre. A dire vrai, je ne peux pas m'en tirer sans habits corrects .... Il me manque tout ce que l'on considère normalement comme étant des nécessités essentielles et mes cris, autrefois vigoureux, sont maintenant presque complètement étouffés par les glapissements menaçants de mes créanciers qui réclament leur bien ... que puis-je faire à Ottawa? ... Pensez-vous qu'il y a des débouchés pour des portraits?

Il faut dire à l'avantage de la Galerie nationale qu'elle fit quelque chose. Au début, Eric Brown prit des dispositions pour que *Autoportrait (Self-Portrait)* (fig. 42), dans l'exposition du Groupe des Sept, soit pris en considération pour faire l'objet d'un achat; mais à la demande pressante de Vanderpant que l'on propose une aide immédiate à l'artiste, il acheta ce tableau pour la collection de la Galerie et fit en sorte que Varley reçoive la commande de faire le portrait de H.S. Southam, président du conseil d'administration de la Galerie.[179] La nouvelle arriva par télégramme à Vancouver le 24 mars. Vanderpant répondit le lendemain: "Fred part mardi". Les Varley et les Vanderpant, accompagnés de Philip Surrey et de sa mère, se réunirent tous à la gare pour lui souhaiter bon voyage.[180] Ainsi s'achevèrent les années en Colombie-Britannique.

137. *Vera*, c. / v. 1936
pencil and watercolour on paper / crayon et aquarelle
sur papier, 28 x 21 cm
Art Gallery of Greater Victoria. Gift of Mrs. Vera Mortimer-Lamb, in memory of her husband / Don de Mme Vera Mortimer-Lamb à la mémoire de son mari

138. *Portrait of Mortimer-Lamb*, 1936
oil on board / huile sur panneau, 45.1 x 34.9 cm
Vancouver Art Gallery

139. *Mist over Lynn, B.C.*, c. / v. 1936-37
oil on wood panel / huile sur panneau de bois, 29.2 x 36.8 cm
Art Gallery of Ontario, Toronto. Gift of / Don de / Jennings
D. Young, 1976
note: Possibly painted after Varley moved to Ottawa, or on his
extended visit to B.C. during the summer of 1937. / Peut-être
peint après le déménagement de Varley à Ottawa, ou bien,
pendant sa visite prolongée en C.-B., en été 1937.

140. *Mountain Climbers*, undated / sans date
oil on paper / huile sur papier, 15.2 x 21 cm
Harold and Lillian Sumberg, Toronto
note: Possible dates for this painting extend from the mid-
thirties to early fifties, when Varley made a canvas that relates
to it (Roberts Gallery, Toronto). The small size and vivid
depiction suggest, however, a date of c. 1935-37. / Les possibilités de datation de ce tableau s'étendent du milieu des
années trente jusqu'au début des années cinquante quand Varley a peint une toile qui présente des affinités avec cette oeuvre (Roberts Gallery, Toronto). Pourtant, son petit format et
sa vivacité suggèrent qu'il l'a exécutée vers 1935-37.

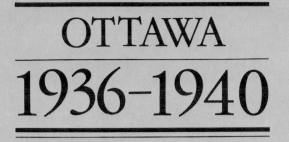

OTTAWA
1936–1940

141. *Eskimo Encampment*, 1938
pencil and watercolour on paper / crayon et aquarelle sur papier,
22.2 x 29.8 cm (sight size / estimation visuelle)
Private / Collection / privée, Toronto

Varley arrived in Ottawa on April 6, 1936. Brown and McCurry, who had expressed doubts about his stability in their letters to Vanderpant,[181] took him immediately in hand. On April 13 Varley wrote to Vanderpant:

They *have got me a room. In fact,* they *seem to know more than I about what I'm going to do—It is good in a way—but I cannot afford to be imprisoned or bound by the wills of others—There are many forms of vice in the world John and it is as dangerous to be tempted by the cloistered virtues of inexperience as by the more evident grosser forms of folly.... This house they have chosen for my abode rather scares me with its proprieties & I do not want to upset the elderly ladies residing there—However, we'll go quietly along & see what happens.*

The next day he commenced work on the portrait of H.S. Southam (fig. 142) in a room at the National Gallery that was rearranged for his use as a studio.[182] It was an official commission destined to hang in the board room of the Gallery. Southam found the sittings an inconvenience, and Varley disliked him from the start.[183] Like Brown and McCurry, he was a Christian Scientist, with rather simplistic ideas about good and bad behaviour.

Clearly, Varley was going to have difficulty adjusting to Ottawa. He dreamed of returning to Lynn, where Mortimer-Lamb had guaranteed to pay the rent on his house in case he returned.[184] But he at least made some sales in the East, including ten oil sketches and a commissioned B.C. landscape that went to Southam; and there was the possibility of obtaining a teaching job in Hamilton or Montreal.[185]

The staff of the National Gallery also continued to give him support, allowing him to retain his "studio" in the Gallery after the Southam portrait's completion in mid-May. They also prepared a seven foot high canvas for a painting that he intended to make on the theme of Christ's resurrection. This huge oil was not completed until the late winter of 1937, long after he was told to vacate the premises.[186] It eventually received the secular title of *Liberation* (fig. 143), and is an original image of transcendence—an accounting of the artist's sense of social alienation and spirituality. He identified himself with Christ, that great teacher and visionary who was ostracized and condemned for refusing to live within society's restrictions. He empathized with Christ's pain, sorrow, and eventual victory over death.

The large figure that stands at the entrance to an

142. *Portrait of H.S. Southam,* 1936
oil on canvas / huile sur toile, 101.6 x 86.4 cm
The National Gallery of Canada / La Galerie nationale du Canada   (Not included in the exhibition/
Oeuvre qui ne figure pas dans cette exposition)

open tomb is bathed in "prismatic colour". Green, blue, rose, black, and orange burst off his torso, which in turn seems to glow with an inner light. His legs virtually dissolve in a more tranquil field of blue and green. The centre of his right hand is pierced by a hole through which "coloured light" seems to stream. The index finger of his left hand points straight down, a blue ray of light flowing from its tip. Although they are concealed and perhaps unintended, male and female genitalia are suggested by the shape of the muscular abdomen and cleft in the chest. While such imagery is out of keeping with Varley's other work, his ongoing interest in metamorphosis and duality lends some support to this reading.

Liberation therefore appears to equate artistic and physical pleasure with spiritual transcendence. It is highly eccentric—one of a kind—and Varley was thrilled with the results. He described the figure as "coming out of colour lights, an evanescent something which in a moment will be solid matter—molten metal & jewels—I can scarcely believe that I truly have something impossible for me to lose or

130

Varley arriva à Ottawa le 6 avril 1936. Brown et McCurry, qui avaient exprimé des doutes quant à sa stabilité dans leurs lettres à Vanderpant,[181] le prirent immédiatement en main. Le 13 avril, Varley écrivit à Vanderpant:

Ils *m'ont trouvé une chambre. En fait, ils semblent savoir mieux que moi ce que je vais faire—ce qui est bien en un sens—mais je ne peux pas me permettre d'être emprisonné ou limité par la volonté des autres—Il n'existe pas qu'une seule forme de vice au monde, John, et il est aussi dangereux d'être tenté par les vertus cloîtrées de l'inexpérience que de l'être par les formes évidemment plus vulgaires de la sottise. ... Cette maison qu'il m'ont choisie comme demeure m'effraie un peu par ses bienséances et je ne veux pas bouleverser les dames âgées qui y résident—Quoiqu'il en soit, nous allons laisser faire tranquillement et nous verrons bien ce qui se passera.*

Le lendemain, il commença à travailler le portrait de H.S. Southam (fig. 142) dans une pièce de la Galerie nationale qu'on avait aménagée pour qu'il puisse l'utiliser comme atelier.[182] Le portrait était une commande officielle destinée à la Salle du Conseil d'administration de la Galerie. Southam trouva les séances de pose malcommodes et il déplut à Varley dès le début.[183] Tout comme Brown et McCurry, c'était un membre de la Science chrétienne qui avait des idées plutôt simplistes sur la bonne et la mauvaise conduite.

Il est évident que Varley allait avoir du mal à s'adapter à Ottawa. Il rêvait de retourner à Lynn où Mortimer-Lamb lui avait garanti de payer le loyer de sa maison dans le cas où il y reviendrait.[184] Cependant, il vendit quelques tableaux dans l'Est, y compris dix esquisses à l'huile et un paysage de Colombie-Britannique que Southam lui avait commandé; d'ailleurs, il avait aussi la possibilité d'obtenir un poste d'enseignant à Hamilton ou à Montréal.[185]

Le personnel de la Galerie nationale continua à appuyer son travail en lui permettant de conserver son atelier lorsque le portrait de Southam fut achevé, à la mi-mai, et en apprêtant une toile de sept pieds de haut pour un tableau qu'il avait l'intention de peindre au sujet de la Résurrection. Cette énorme peinture à l'huile ne fut achevée qu'à la fin de l'hiver 1937, c'est-à-dire, bien longtemps après qu'on lui eut dit de vider les lieux.[186] On donna enfin à ce tableau le titre laïque de *Libération* (fig. 143) car c'est une image originale de la transcendance, une déclaration par l'artiste de son sentiment d'aliénation sociale et de

spiritualité. Dans ce tableau, il s'identifia au Christ, à ce grand maître et visionnaire qui fut banni et condamné pour avoir refusé de vivre dans les confins des restrictions sociales. Il se fit un avec les douleurs du Christ, avec sa peine et avec sa victoire éventuelle sur la mort.

La grande figure qui se tient debout à l'entrée d'une tombe ouverte est baignée de "couleur prismatique." Du vert, du bleu, du rose, du noir et de l'orange jaillissent de son torse qui, à son tour, semble briller d'une lumière intérieure. Ses jambes se fondent littéralement dans un champ plus calme de bleu et de vert. Le centre de sa main droite est percé d'un trou par lequel semble rayonner une "lumière colorée." L'index de sa main gauche pointe droit vers le bas et du bout de ce doigt émane un rais de lumière bleue. Bien que dissimulés et peut-être involontaires, des organes génitaux masculins et féminins sont suggérés par la forme de l'abdomen musclé et du creux de la poitrine. Une telle image ne cadre pas avec les autres oeuvres de Varley, mais le fait qu'il s'intéressait toujours à la métamorphose et à la dualité appuyerait cette interprétation.

Libération semble donc mettre en relation d'équivalence le plaisir artistique et physique et la transcendance spirituelle. C'est une oeuvre tout à fait originale, unique dans son genre, et Varley fut enchanté du résultat. Il décrivait la grande figure comme "sortant de lumière en couleurs, quelque chose d'évanescent qui, dans un instant, se transformera en matière solide—des bijoux et du métal en fusion—je peux à peine croire que j'ai vraiment fait quelque chose que je ne pourrai jamais perdre ou détruire."[187] Une fois de plus, il croyait avoir surpassé tout ce qu'il avait créé avant.

Pourtant, cela ne fait pas grand doute que, sur le plan formel, *Libération* comporte des défauts. Les plans solides et transparents qui enchâssent presque tout, sauf le torse du personnage qui se gonfle, sont bien trop géométriques. Ces plans répriment plus qu'ils ne rehaussent la couleur éblouissante et les traits déliés de la peinture. D'ailleurs, le torse lui-même est si "pesant" et si démesuré qu'il a pour effet de rapetisser la tête et les jambes du personnage.

C'est ce tableau qui, selon le rêve du peintre, devait éveiller "les masses et les mettre en extase" et dont il avait déjà commencé à fair le plan quand il était à Lynn. Dès le début, il avait l'intention de le proposer à l'Académie Royale de Londres où, dix-huit ans auparavant, on l'avait acclamé comme il ne l'avait

jamais été depuis. Mais il fut écoeuré et profondément déçu quand, en avril 1937, le jury de l'Académie refusa son oeuvre et la mit en dépôt à Londres. Varley n'avait pas les moyens de la faire revenir au Canada et, par ailleurs, il devait encore de l'argent pour l'encadrement. Il dut donc la laisser là-bas. Il finit par oublier où se trouvait cette oeuvre, qui ne fut rapatriée qu'en 1975, six ans après sa mort.

Varley passa les étés 1936 et 1937 sur la Côte Ouest, mais n'ayant pas l'espoir de gagner sa vie à Vancouver, il dut retourner à Ottawa à chaque fois. Il y enseigna pour l'Association d'art d'Ottawa (Ottawa Art Association) jusqu'au printemps de 1938. Il détestait cette ville et pensait que la plupart de ses élèves étaient des "dilettantes" parce qu'"aucun d'eux n'a la flamme, même s'ils m'abusent en me disant que je suis formidable. ...Je ne peux que prier Dieu qu'il me libère—Je ne reviendrai jamais ici."[188]

Il buvait beaucoup, peignait peu et commençait à se conduire sans prudence. En 1936, il resta en Colombie-Britannique jusqu'à ce que son compte en banque fût à découvert, puis, dès son retour à Ottawa, mit la main sur John Helders, un ami de Vanderpant. Le 8 novembre 1936, Helders écrivit à Vanderpant:

Varley est de retour et m'en veut parce que je n'ai pas voulu lui prêter d'argent. ...McCurry ne veut pas entendre parler de lui. Il est venu ici sans un sou en poche et, quand j'ai dit que je ne l'entretiendrais pas financièrement parce que je savais qu'il allait se saouler à Hull, il en fut très blessé. J'ai demandé à McCurry s'il ne voulait pas l'aider, mais il a refusé et m'a conseillé de ne pas l'aider non plus.

Varley passa Noël, en 1936, chez les Fairley, à Toronto,[189] et le week-end de Pâques chez Philip Surrey et sa mère, à Montréal. Les Surrey venaient d'arriver de New York. Il n'avait jamais vu New York, mais les histoires de Surrey et les photos prises par John Vanderpant deux ans plus tôt l'enthousiasmèrent: il retourna à Ottawa et, en "108 heures d'exaltation,"[190] peignit *Bac de nuit, Vancouver (Night Ferry, Vancouver)* (fig. 146). L'arrière-plan de ce tableau est un mélange de ses impressions sur New York et de ses souvenirs de Vancouver et de Seattle.[191]

143. *Libération*, 1936-37
oil on canvas / huile sur toile, 213.7 x 134.3 cm
Art Gallery of Ontario. Gift of / Don de / John B. Ridley. On loan to the Art Gallery of Ontario from the Ontario Heritage Foundation / Prêté à l'Art Gallery of Ontario par l'Ontario Heritage Foundation / 1977

C'est un tableau inspiré. La couleur est riche, conçue avec audacité. La composition asymétrique crée une vraie tension structurale et une dynamique puissante. Bien que les bâtiments le long de l'horizon rappellent inévitablement Edvard Munch, il ne s'agit nullement d'un pastiche de l'oeuvre du peintre norvégien. Dans une lettre à son fils, John, le 5 avril, Varley décrivit en termes enthousiastes les progrès qu'il avait faits en peignant ce tableau:

Je m'amuse comme un fou en travaillant par à-coups et en me saoulant de couleurs et de gros pâtés de peinture—et je m'éloigne de plus en plus de la réalité—C'est bien de mettre sur toile ses impressions longtemps après les avoir reçues—Mon Vancouver qui sert de fond pour Bac de nuit *(Night Ferry), c'est New York avec une lune en découpage au ciel—et le sillage bouillonnant derrière le bateau ressemble au plumage d'un paon. Un couple d'amoureux sur le premier pont sont sous l'influence de la folle lune et et me donnent du rose pâle et de l'or crépusculaire, tandis qu'un solide gaillard, bien d'aplomb sur ses jambes écartées, tourne le dos au spectateur, et il faut essayer de deviner ce qu'il est en train de penser.*

Ce personnage robuste à la proue du bateau apparaît dans d'autres tableaux des années trente et du début des années quarante (fig. 173), et, comme la figure du Christ dans *Libération*, représente en quelque sorte le double de l'artiste. En faisant une autre allusion à *Bac de nuit, Vancouver*, Varley décrivit le personnage comme étant "un grand sentimental...qui s'imagine qu'il voyage en pleine mer,"[192] ce qui constitue un commentaire qui dénigre son propre état vagabond et sa propre imagination romantique.

Les "amoureux", eux aussi, apparaissent dans d'autres tableaux, en particulier dans *Miroir de la pensée (Mirror of Thought)* (fig. 148). Dans ce tableau, Varley les regarde d'en haut, de la fenêtre de son atelier à Lynn. Son propre visage apparaît dans le miroir accroché aux boiseries de la fenêtre en forme de crucifix. Il "traîne" là, l'air morose et abattu, et le fait qu'il est juxtaposé aux amoureux souligne sa solitude. Il est à noter que Varley donna ce tableau sentimental à Vera, qui lui manquait terriblement à ce moment de sa vie.

Tout comme *Bac de nuit, Vancouver*, la plupart des tableaux qu'il a peints dans l'Est ont été tirés de ses souvenirs de Vancouver. Bien que peu d'entre eux soient aussi captivants que ceux qu'il avait exécutés

wreck."[187] In his own mind he had once again surpassed all previous achievements.

Yet there can be little disagreement over the formal shortcomings of *Liberation*. The solid and transparent planes that box in all but the swelling torso of the figure are too geometric. They contain rather than complement the dazzling colour and free handling of paint. And the torso itself is so "heavy" and oversized that it dwarfs the figure's head and legs.

This is the painting that Varley had dreamed would arouse "the populace into ecstacy" and had begun planning while he was still at Lynn. From the start, he intended on submitting it to the Royal Academy in London, where he had received his greatest public acclaim eighteen years before. But to his disgust and bitter disappointment, *Liberation* was turned down by the Academy's jury in April 1937, and was placed in storage in London. Varley could not afford to bring it back to Canada, and owed money on the frame, so he had to leave it there. He

144. Varley sketching a watercolour on Grouse Mountain /
Varley en train de faire une esquisse pour une aquarelle, à
Grouse Mountain / North Vancouver, 1937

eventually forgot its whereabouts and it was not repatriated until 1975, six years after his death.

Varley spent the summers of 1936 and 1937 on the West Coast, but with no prospects of earning a living in Vancouver, he was pulled back to Ottawa both times. There he taught classes for the Ottawa Art Association until the spring of 1939. He hated the city and thought that most of his pupils were "dilettantes", for "not one burns up—even though they bluff me & say, I'm wonderful ... I can only pray for the day when I can be released—I shall never return."[188]

He drank heavily, painted little, and started behaving recklessly. In 1936 he stayed in B.C. until overdrawn at the bank, then put the touch on John Helders, a friend of Vanderpant's, as soon as he got back to Ottawa. On November 8, 1936 Helders wrote to Vanderpant:

Varley is here again but he is sore with me because I did not want to lend him money.... McCurry does not want to have anything to do with him. He came here without a cent and when I told him that financially I would not keep him because I knew he was going over to Hull to get drunk, he was very much insulted. I asked McCurry if he wanted to help him but he refused and advised me not to do so.

Varley spent Christmas of 1936 with the Fairleys in Toronto,[189] and the Easter weekend of 1937 in Montreal with Philip Surrey and his mother. They had just arrived in the city from New York. Never having been to New York himself, but excited by Surrey's stories, and photographs by John Vanderpant taken two years before, Varley returned to Ottawa, where in "108 hours of enthusiasm"[190] he painted *Night Ferry, Vancouver* (fig. 146). The background is a mixture of his impressions of New York and his memories of Vancouver and Seattle.[191]

It is an inspired painting. The colour is rich and boldly handled, and an effective sense of structural tension and torque is created by the asymmetrical composition. Although the rendering of the buildings along the horizon inevitably suggest Edvard Munch, it is in no sense a pastiche of the Norwegian painter's work. On April 5, Varley excitedly described his progress on the painting to his son John:

I'm having lots of fun in spasmodic moments getting drunk with colour & fat gobs of paint—and I am getting away more & more from the fact—It is good to paint impressions long after the impression has been received—My Vancouver which is a back-

145. *Northern Lights, B.C.*, c. / v. 1936-40
oil on wood panel / huile sur panneau de bois,
30.5 x 38.1 cm Private / Collection / privée,
Toronto
ex.: Spring Exhibition / Exposition du printemps / Art Association, Montréal, 1940

146. *Night Ferry, Vancouver*, 1937
oil on canvas / huile sur toile, 82 x 102.3 cm
Private / Collection / privée, Toronto
(Not available for the exhibition / Oeuvre non
disponible pour cette exposition)

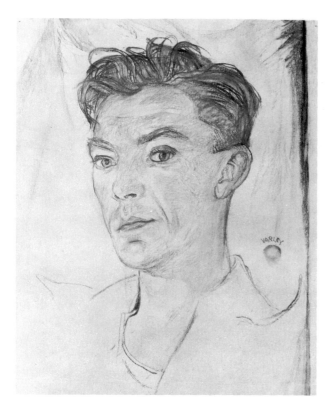

148. *Mirror of Thought*, c. / v. 1935-36
oil on canvas / huile sur toile, 50.5 x 61.2 cm
Art Gallery of Greater Victoria, Harold and Vera Mortimer-Lamb Bequest / Legs de Harold et Vera Mortimer-Lamb
(Not included in the exhibition/Oeuvre qui ne figure pas dans cette exposition)

147. *Philip Surrey*, 1937
charcoal on paper / fusain sur papier, 36.5 x 28.9 cm
Private / Collection / privée, Montréal

ground for 'Night Ferry' is a New York with a cut out moon in the sky—& the flurry of waters behind the boat are like peacock feathers. A couple of lovers on the lower deck are influenced by the crazy moon & give me pale rose & dusky gold while a stocky figure with sprawled out legs stolidly stands with his back to the spectator & you have to guess what he thinks.

The stalwart figure at the stern of the ferry appears in other paintings of the thirties and early forties (fig. 173), and like the Christ figure in *Liberation* is something of an alter ego. In another reference to *Night Ferry, Vancouver*, Varley described him as a "sentimentalist ... pretending he's on the high seas",[192] a self-deprecating comment on his own transient state and romantic imagination.

The "lovers" also appear in other paintings, most notably *Mirror of Thought* (fig. 148). Here, Varley looks down on them from the window of his studio at Lynn. His own face appears in the shaving mirror attached to the crucifix shaped window frame. He "hangs" there, looking morose and bedraggled, and

his juxtaposition beside the lovers describes his loneliness all too clearly. It is worth noting that Varley gave this sentimental painting to Vera, whom he deeply missed.

Like *Night Ferry, Vancouver*, the subjects of most of the paintings that he made in the East were drawn from his memories of Vancouver. Although few are as engaging as those that he actually made on the Coast, they include some lyrical forays in which he mixed elements adopted from Chinese art—such as the vertically exaggerated peak on the left in *Lynn Valley—Mist* (fig. 172)—with his romanticized memories of B.C.

He was adrift and disheartened, but could still be sparked into action, as was proved by the astonishing quantity of work that he produced in the Arctic during the summer of 1938. He first approached the Commissioner of North West Territories about being taken north on the annual patrol of the government supply ship Nascopie in 1937, but was bumped a month before sailing.[193] The following year he

149. *Arctic Seascape*, 1938
watercolour on paper / aquarelle sur papier, 21.6 x 29.2 cm
Rodman Hall Arts Centre. Gift of the late Mrs. C.J. Lane / Don de feue Mme C.J. Lane / 1969

sur la Côte, on y trouve des passages lyriques où il a inclus des éléments empruntés à l'art chinois—par exemple, le pic vertical exagéré situé à gauche dans *Lynn Valley, Brume* (*Lynn Valley, Mist*) (fig. 172)—mêlés à ses souvenirs romancés de la Colombie-Britannique.

Il était à la dérive et découragé, mais pouvait toujours réagir à son inspiration, comme le prouvait l'incroyable quantité d'oeuvres qu'il a réalisées dans l'Arctique au cours de l'été 1938. Il demanda pour la première fois en 1937 au Commissionnaire des Territoires du Nord-Ouest de l'emmener dans le Nord à bord du navire de ravitaillement, le Nascopie, qui allait y faire sa patrouille annuelle, mais un mois avant le départ on donna la priorité à un autre passager.[193] L'année suivante, le 5 juillet, il reçut un avis lui signalant qu'une place lui avait été réservée sur le navire qui devait partir de Montréal quatre jours plus tard.[194] Il travailla avec acharnement pour obtenir les fonds nécessaires à l'achat de matériel et, le jour avant de partir, vendit un lot de tableaux à un fonc-tionnaire pour les \$200 ou \$300 dont il était à court.[195] Il était tout excité au moment du départ, comme un enfant qui part en vacances; et cinq jours après le départ il écrivait à Mortimer-Lamb lui prédisant qu'il allait "rapporter une grande quantité d'oeuvres, car ça fait si longtemps que je suis inactif."[196]

Le voyage dura deux mois et vit Varley se rendre dans le Nord jusqu'à Thulé, au Groënland. A la fin août, il écrivit une lettre où l'on trouve ses impressions sur la beauté extraordinaire de l'Arctique et sur sa joie de s'y trouver:

Je suis plus ivre que jamais de ma vie—ivre de ce qui semblerait impossible—les glaciers le long de la côte du Groënland et les montagnes arrondies par les intempéries—les icebergs—des centaines d'icebergs, des sphinx flottants—des pyramides—des châteaux au sommet des montagnes—des ponts-levis et des crevasses, des cathédrales gigantesques—des formes de corail grossies mille fois—des crocs longs de cent pieds—d'étranges cavernes qui projettent devant elles le violet intense et chantant de l'espace, au point

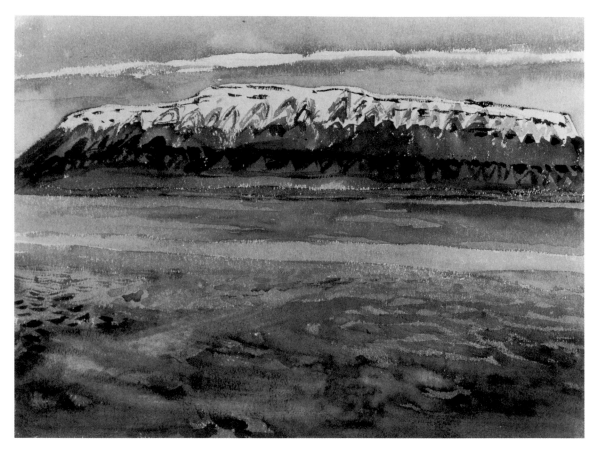

150. *Arctic Sketch No. 1*, 1938
watercolour on grey paper / aquarelle sur papier gris, 21.9 x 30.2 cm (sight size / estimation visuelle)
Private / Collection / privée, Calgary

151. *Eskimos—Arctic Bay*, 1938
pencil and watercolour on paper / crayon et aquarelle sur papier, 17.5 x 20.7 cm
Private / Collection / privée, Hull, Québec

received notification on July 5 that provision was being made to accommodate him, and that the ship would be leaving Montreal four days later.[194] He worked feverishly to raise money for supplies, and a day before sailing sold a bundle of work to someone in government service for the $200 or $300 that he needed.[195] Like a child on summer vacation, his spirits lifted upon departure, and five days out he wrote to Mortimer-Lamb predicting that he would "bring back a wealth of work for I have been fallow so long."[196]

The voyage lasted two months, and took Varley as far north as Thule, Greenland. In late August, he wrote of the unusual beauty of the Arctic, and of his happiness at being there:

I'm more drunk than ever in my life—drunk with the seemingly impossible—the glaciers up the Greenland coast & the weather rounded mountains—the icebergs—literally hundreds of them, floating sphinxes—pyramids—mountain peaks with castles

152. *Arctic Sketch No. 2,* 1938
watercolour on grey paper / aquarelle sur papier gris, 22.2 x 30.2 cm (sight size / estimation visuelle)
Private / Collection / privée, Calgary

où ces cavernes atteignent l'irréalité d'un rêve; et, à cause des bleu-vert et des violets de ces icebergs, le ciel gris tourne au mauve et la mer au pourpre sombre et au rouge. Dans ce milieu, on vit dans un monde de couleurs prismatiques—Tout cela est mis en relief par les stratifications surprenantes des montagnes et par le gris-ocre des rochers, parsemés de ci de là de lichens, comme si l'on y avait mis de la poudre d'or. Et puis, ces gens du pays, petits et bruns ... comme ils sont beaux—raffinés—ils parlent si doucement— leurs habits sont propres, exquis—des gens qui sont fiers d'être bien.[197]

Comme il l'avait prédit, Varley rapporta "une quantité d'oeuvres," dont la plupart furent à l'aquarelle, au crayon ou au crayon de pastel. Il y avait quelques tableaux ravissants, remarquables pour la finesse des touches et des couleurs. Dans certaines de ces aquarelles, il appliqua la peinture en faisant des flaques et en la faisant dégouliner sur la surface du papier (fig. 156); et dans d'autres il fit ressortir les lignes du rivage, les rochers et les glaciers en traçant leurs contours d'un fin trait calligraphique (figs. 157, 158). Les flocons de neige fondus sur certains des tableaux y laissent des rondelles délavées (fig. 156). Ces esquisses de l'Arctique reflètent sa réaction fraîche et spontanée à la richesse des sujets qu'il trouvait autour de lui.

Mais le voyage ne lui fut pas profitable financièrement, et il semble n'avoir travaillé que trois peintures à l'huile à partir des esquisses rapportées de l'Arctique: la meilleure de ces huiles fut *Eté dans l'Arctique* (*Summer in the Arctic*) (*Collection privée*) (fig. 155), qu'il considérait comme "sa toile la plus riche."[198] De retour à Ottawa, il sombra dans une dépression affreuse. Ses tableaux ne se vendaient quasiment plus, et l'idée de continuer dans l'enseignement lui répugnait.

L'année 1939 fut "presque sinistre par ses aspects

153. *Eskimos on Board Nascopie, No. 1*, 1938
pencil on paper / crayon sur papier, 22 x 29.6 cm (sight
size/estimation visuelle)
Mr. and Mrs. John H. Moore, Lambeth, Ontario

154. *Eskimo Tents—Cape Dorset*, 1938
charcoal and watercolour on paper / fusain et aquarelle
sur papier, 22.8 x 30.5 cm
Public Archives of Canada / Archives publiques du Canada,
Ottawa

*on them—draw-bridges & crevasses, huge cathedrals
—coral forms magnified a thousand fold—fangs of
teeth hundreds of feet high—strange caves giving
out in front of them the intense singing violet of
space until the cave is as unreal as a dream and
because of the blue greens & the violets of these
bergs, the grey sky twins mauve & the sea deep
purple and red. Under such conditions one lives in
prismatic colours—Offsetting that is the unusual
strata of mountain forms & the dun colour of the
rocks with lichen occasionally sprinkled like gold
dust upon them. & then the little brown people ... beautiful they are—refined—quiet speaking—
cleanly, exquisitely dressed—people possessing pride
of well being.*[197]

As he predicted, Varley brought back a "wealth of
work", mostly in watercolour, pencil, or crayon. It
included some exquisite paintings, notable for their
delicacy of touch and colour. He puddled and dribbled
his watercolour paint in some works (fig. 156), and
rendered the shorelines, rocks, and glaciers in finely
delineated brushtip calligraphy in others (figs. 157,

155. *Summer in The Arctic*, 1938
pencil and watercolour on paper / crayon et aquarelle sur papier, 22.2 x 30.2 cm (sight size / estimation visuelle)
Private / Collection / privée, Calgary
note: a field sketch for *Summer in The Arctic* / croquis fait sur
les lieux pour *Summer in The Arctic* (Private / Collection /
privée)

156. *Eskimos on the Shore at Cape Smith*, 1938
charcoal and watercolour on paper / fusain et aquarelle
sur papier, 22.7 x 30.6 cm
Public Archives of Canada / Archives publiques du
Canada / Ottawa

157. *Above Arctic Bay*, 1938
pencil and watercolour on paper / crayon et aquarelle
sur papier, 21.6 x 29.8 cm
The Montreal Museum of Fine Arts / Le Musée des
Beaux-Arts de Montréal Purchase, / Acquis avec des fonds
du / A. Sidney Dawes Fund
(Exhibited in Montreal and Toronto only / Oeuvre exposée
seulement à Montréal et à Toronto)

158). Bleached rings mark the snowflakes that melted on some paintings (fig. 156). The Arctic sketches vividly convey the freshness and spontaneity of his response to the wealth of material around him.

But he did not profit financially from the trip, and appears to have only worked up three oils based on Arctic material—the best of these being *Summer in the Arctic*, (private collection) (fig. 155) which he considered his "richest canvas".[198] Back in Ottawa he sank into a state of terrible despondency. Picture sales virtually dried up, and he was loath to continue teaching.

1939 was "almost sinister in its tragedies".[199] Vanderpant died of cancer on July 24. Varley's son, John, who came to Ottawa in late 1938, quarreled with him and returned to Vancouver in October.[200] The war made it impossible to return to London, where he still hoped that he could have re-established himself. On September 11, 1939, he wrote to Milton Blackstone, "I no longer want my sketches—I cannot deceive myself any longer—I have never known before this awfulness of being unwanted—Incapable.... I am stuck here in this

158. *Ungava Coast*, 1938
watercolour on oatmeal paper / aquarelle sur papier
22.9 x 29.8 cm (sight size / estimation visuelle)
Betty Mochizuki, Toronto

tragiques."[199] Le 24 juillet, Vanderpant mourut d'un cancer. Le fils de Varley, John, qui était venu à Ottawa à la fin de 1938, se querella avec son père et retourna à Vancouver en octobre.[200] La guerre empêcha Varley de retourner à Londres où il espérait toujours pouvoir se refaire un nom. Le 11 septembre 1939, il écrivait à Milton Blackstone: "Je ne veux plus de mes esquisses—Je ne peux pas continuer à me leurrer—Je n'ai jamais connu avant ce sentiment horrible d'être délaissé par tout le monde—Incapable. ...Je suis plaqué ici dans cette sacrée ville, aussi dénué d'idées et d'espoir qu'un os sans chair."

En 1939, il ne travailla pratiquement pas; il ne lui restait ni les moyens ni le courage d'en faire l'effort. Le 20 décembre, il écrivait de nouveau à Blackstone: *Je ne savais pas que de telles expériences pouvaient nous arriver de manière si impitoyable et destructive. Il en est résulté que je suis passé à travers une maladie mentale et, apparemment, spirituelle. Tout ce que je voulais, c'était de partir—n'importe où. ...Heureusement, je suis enfin entré dans un état de calme acceptation—je ne peux plus être blessé.*

Bien que la nature exacte de cet "état de calme acceptation" ne soit pas claire, Varley semble avoir

159. *Arctic Night*, 1938 pencil and watercolour on paper / crayon et aquarelle sur papier,
22.5 x 30.5 cm (sight size / estimation visuelle) McMichael Canadian Collection, Kleinburg, Ontario

blasted city, barren as a well-picked bone even to my intentions and hopes."

He did virtually no work in 1939, for he had neither the means nor the heart left to bother. On December 20, he wrote again to Blackstone:
I never knew such experiences could happen to one in such a merciless and destructive manner. The result being that I have passed through a mental and what seems a spiritual sickness. All I wanted was to get away—anywhere....Fortunately I have entered into a quiet understanding—no more can I be wounded.

Although the nature of this "quiet understanding" is not clear, Varley does seem to have begun a slow recovery about this time, spurred on in part by a few friends who rallied around him in support. Among these were Wing Commander C.J. Duncan and his

160. *Tree Forms*, c. / v. 1940 conté on paper / conté sur papier, 24.1 x 32.1 cm
Art Gallery of Ontario, Toronto. Gift from the / Don du / Albert H. Robson Memorial Subscription Fund, 1950

commencé à se remettre tout doucement vers cette période. Sa guérison fut encouragée par quelques amis qui se mirent ensemble pour lui prêter soutien. Parmi ceux-ci se trouvaient le commandant d'escadre C.J. Duncan et sa femme, qui assemblèrent une grande collection de ses oeuvres au cours des quatre années suivantes et, en 1940, l'invitèrent à passer trois mois à leur chalet de la Baie de Quinte, non loin de la base de l'A.R.C. à Trenton.[201]

Varley ne fut pas enthousiasmé par le paysage "placide et pastoral"[202] de l'Ontario, mais il se réjouit de se retrouver à la campagne; et, pendant ce séjour il fit quelques études brillantes et enjouées des ormes de la région (fig. 168). Les branches au faîte des arbres se dressent comme des plumes ou tournoient comme des soleils au-dessus des terres environnantes (fig. 162). Par moments, la terre elle-même semble se soulever, secouant les arbres qui ondulent haut dans les airs (fig. 160).

Pendant son séjour au chalet, il fit aussi plusieurs portraits à la craie. Il avait commencé à pratiquer ce genre de portrait quelque temps auparavant dans l'espoir d'obtenir des commandes mineures. Ce sont principalement des portraits de jeunes femmes et font partie de ses plus remarquables hommages à la sensualité et à la beauté féminine (fig. 164). Mais il avait peu d'argent pour acheter du matériel et, quand il se trouvait "à court de couleurs,"[203] il improvisait avec ce qu'il avait à portée de la main—utilisant une fois du rouge à lèvre quand la craie de couleur désirée lui manqua (fig. 166).

Bien qu'il ne fasse aucun doute que la qualité de ces portraits soit variable, son dessin y est toujours solide et ses caractérisations témoignent de sensibilité. Son

161. *Road to the Farm—Bay of Quinte*, 1940
pencil and charcoal on paper / crayon et fusain sur papier,
23.3 x 31.1 cm
Mr. and Mrs. Dean Hughes, Unionville, Ontario

162. *Autumn Haze*, 1940
oil on wood panel / huile sur panneau de bois, 30.3 x 37.7 cm
Private / Collection / privée, Ottawa

wife, who amassed a large collection of his work during the next four years, and invited him to spend three months at their summer cottage on the Bay of Quinte near the R.C.A.F. base at Trenton in 1940.[201]

Although Varley still did not respond strongly to the "placid and pastoral"[202] Ontario landscape, he was enraptured at being back out in the countryside, and made some sparkling and jocular studies of the local elms during his stay (fig. 168). The trees' top branches rise like plumes, or spin like pinwheels above the surrounding farmland (fig. 162). At times, the earth itself seems to heave, tossing the billowing trees high into the air (fig. 160).

He also made several portrait drawings during his stay at the cottage, a practice that he picked up shortly before in the hope of obtaining some minor commissions. They are mostly of young women, and are among his finest tributes to female sensuality and beauty (fig. 164). But he had little money for supplies, and when "shy of colours",[203] improvised with whatever was at hand—once using lipstick in the absence of the correctly coloured chalk (fig. 166).

développement artistique, irrégulier mais continu, se voit dans *Nu sur un divan* (*Nude on a Couch*) (fig. 167), l'une de ses compositions les plus imaginatives et les plus puissantes. Un nu au visage angélique est gauchement étendu sur un drap raide qu'on dirait de glace, ses bras enveloppant sa tête comme pour se protéger. Sa vulnérabilité et sa nudité totale font penser à l'oeuvre d'Egon Shiele; et les petites taches de couleur chaude sur le mamelon et le genou du modèle nous font vaguement penser à la chair pommelée du peintre viennois. Pourtant, ce tableau est autrement suggestif, car la pose fait penser aussi à la mante religieuse "en train de prier"—un insecte que Varley dessina plusieurs fois lorsqu'il était à la maison de campagne des Duncan (fig. 165). "En un sens, elle est comme le latrodecte," écrivit-il à Vera cet été-là, "elle tire tout ce qu'elle peut de son amant, puis le dévore."[204] Varley dépeignait souvent la femme comme étant une bête de proie sexuelle, mais il le fit ici avec plus de finesse que jamais.

164. *Erica*, 1940
charcoal and chalk on paper / fusain et craie sur papier, 30.6 x 21.5 cm
Private / Collection / privée, Kelowna, B.C.

163. *Nancy Cameron*, c. / v. 1940
chalk on paper / craie sur papier, 26.8 x 21.6 cm (sight size / estimation visuelle)
Private / Collection / privée, Niagara-On-The-Lake, Ontario

165. *Praying Mantis*, 1940
Pencil drawing in a letter to Vera Weatherbie / Dessin au crayon dans une lettre adressée à Vera Weatherbie. Archives of The Edmonton Art Gallery / Archives de l'Edmonton Art Gallery. Gift of / Don de / Peter Ohler, Masters Gallery, Calgary, 1980

166. *Head Study*, 1940
charcoal, chalk and lipstick on paper / fusain, craie et rouge à lèvres sur papier, 30.4 x 22.5 cm (image size / dimension de l'image)
Private / Collection / privée, Kelowna, B.C.

While these portraits unquestionably vary in quality, Varley's draftsmanship remained firm, and his characterizations were still perceptive. His irregular yet continued growth is well illustrated by *Nude on a Couch* (fig. 167), one of his most inventive and powerful compositions. An angelic faced nude lies awkwardly on a stiff and icy looking sheet, her arms wrapped around her head as if for protection. Her vulnerability and the pose and composition are reminiscent of Egon Shiele; and the small spots of warm colour on the model's nipple and knee distantly remind us of the Viennese painter's mottled flesh tones. Yet there is more to the painting than this, for the pose suggests a praying mantis in the "praying posture"—an insect that Varley drew several times while at the Duncan's cottage (fig. 165). "In one respect she's like the Black Widow spider", he wrote to Vera that summer, "she gets all she can from her lover & then gobbles him up."[204] Varley often portrayed women as sexual predators, but nowhere else as slyly as this.

148

167. *Nude on a Couch*, c. / v. 1940-41
oil on wood panel / huile sur panneau de bois, 45 x 34.6 cm
Private / Collection / privée, Toronto
(Not available for the exhibition / Oeuvre non disponible
pour cette exposition)

168. *Elm—Bay of Quinte*, c. / v. 1940-44
watercolour on paper / aquarelle sur papier, 29.9 x 42.8 cm
James D. Murray Bradford, Aylmer East, Québec

MONTREAL
& OTTAWA
1940-1944

169. *Trees at Aylmer*, c. / v. 1943-44
pencil and watercolour on illustration board / crayon et aquarelle sur carton à illustration,
26 x 35 cm (support size / dimension du châssis); 24.5 x 32.8 cm (image size / dimension de l'image)
The Edmonton Art Gallery. Purchased in 1981 / Acquis en 1981

While he was staying at the Duncans' cottage, Varley met *a fellow in the flying force, came up from Camp Bordon just for a day—visited Duncan's bungalow with many others at a cock-tail party—was interested in my work—knew how rotten times were for artists—said he would like to sponsor me for 6 months—with no strings attached to it—but if I felt embarrassed over accepting—I might make a drawing or a painting of his daughter, but I must not think it necessary—I must be entirely free—get a good studio & work—He didn't tell me this—I only saw him to shake hands with & say How dye do— Everything was arranged through Duncan.... He [the benefactor] was extremely sensitive over it & said nobody must know. He was put on his feet through the actions of another interested in him & as he says—he'll never miss the money.*[205]

Through this extraordinary and absolutely unprecedented piece of generosity, Varley's poverty was immediately relieved. As he was suddenly free to move again, and could see few prospects in Vancouver or Toronto, he went to Montreal in the fall of 1940. There he rented a large unfurnished room overlooking Sherbrooke Street. "I shall meet new ideas and possibly be led into work to solve future problems"[206] he declared to Lamb shortly after arriving. He set to painting with renewed optimism, and probably completed *Nude on a Couch* at this time.

But Varley did not fit well into the city. Although he had made a number of friends on previous visits, and enjoyed the cosmopolitan atmosphere of restaurants and night life, he complained of the noise and summer heat, and had little grasp of the aesthetic developments that at that very moment were beginning to change the face of Quebec art. "My paintings look very heavy & toney for modern taste", he wrote to Vera on July 29, 1941. John Lyman, president of the Contemporary Arts Society, snubbed him—in part because of his earlier affiliation with the Group of Seven—and few of the younger painters noticed his existence, although Goodridge Roberts and he

170. *Manya*, 1941
pencil on paper / crayon sur papier, 28.3 x 28.6 cm
Private / Collection / privée, Montréal

171. *Head of a Woman*, c. / v. 1941
oil on wood panel / huile sur panneau de bois, 37.1 x 30 cm
Lita-Rose and Irving Betcherman, Richmond Hill, Ontario
(Exhibited in Toronto only / Oeuvre exposée seulement à Toronto)

Pendant qu'il séjournait au chalet des Duncan, Varley rencontra

un type de l'armée de l'air qui était venu du Camp Borden pour la journée—a visité avec beaucoup d'autres personnes la villa des Duncan lors d'un cocktail—s'est intéressé à mon travail—savait à quel point les temps sont durs pour les artistes—a dit qu'il aimerait me parrainer pendant six mois—sans aucune obligation envers lui—mais si son offre me gênait—je pourrais dessiner ou peindre le portrait de sa fille, mais que je ne devais pas considérer cela comme une obligation—que je devais me sentir entièrement libre—que j'aurais un bon atelier et du travail—Ce n'est pas à moi qu'il a dit tout cela—je ne l'ai vu que le temps de lui serrer la main et de lui dire Bonjour, m'sieu—Tout s'est arrangé par l'intermédiaire de Duncan. ... Lui [le bienfaiteur] a été très délicat dans cette affaire et a dit que personne d'autre ne devait savoir. Il a expliqué que lui-même avait été lancé par quelqu'un qui s'intéressait à lui, et comme il a dit—cet argent ne lui manquera pas.[205]

Cet acte de générosité extraordinaire et absolument sans précédent mit fin à la pauvreté de Varley. Puisqu'il était subitement à même de voyager et qu'il se voyait peu d'avenir à Vancouver ou à Toronto, il se rendit à Montréal à l'automne 1940. Il y loua une grande pièce non meublée donnant sur la rue Sherbrooke. "Ici j'aurai la stimulation de nouvelles idées qui me mèneront peut-être dans des domaines de travail où je pourrai résoudre d'autres problèmes,"[206] déclara-t-il à Lamb peu après son arrivée. Il se mit à peindre avec un nouvel optimisme et termina probablement *Nu sur un divan* (*Nude on a Couch*) à cette époque.

Cependant, Varley ne s'adapta pas bien à la ville. Quoiqu'il s'y soit fait un certain nombre d'amis lors de ses séjours antérieurs, et en dépit du plaisir que lui donnait cette ambiance cosmopolite de restaurants et de vie nocturne, il se plaignait du bruit et de la canicule; d'ailleurs, il comprenait peu aux développements esthétiques qui commençaient à cette époque même de transformer l'art au Québec. "Mes peintures ont l'air très lourdes et très ton-sur-ton par rapport au goût moderne," écrivit-il à Vera, le 29

172. *Lynn Valley—Mist*, c. / v. 1941
oil on wood panel / huile sur panneau de bois, 30.5 x 38 cm
Private / Collection / privée, Edmonton

173. *The Emigrant Ship*, 1941
chalk and watercolour on paper / craie et aquarelle sur papier,
50.2 x 40.7 cm
Joseph E. Seagram and Sons, Ltd., Montréal

174. *Negro Head*, c. / v. 1940-41
charcoal on paper / fusain sur papier, 31.7 x 33.3 cm
Private / Collection / privée, Toronto

met and admired each other's work.[207] Gradually he lost enthusiasm for the place, and began to kill time again.

On July 22, 1941, less than three months after the support of his unnamed patron ended, he wrote to Len and Billie Pike, two close friends in Ottawa, to ask if he could borrow money. He was already in debt to Louis Muhlstock, and could see little prospect of supporting himself on sales. In the spring he had done some commercial work—making several of the illustrations for Stephen Leacock's *Canada: The Foundations of Its Future* (fig. 173)—and in October he placed a portrait of Duncan in the window of Watson Galleries "in the hopes that it will lead to portrait commissions".[208] But nothing came of these efforts, and by December he was "absolutely penniless".[209]

Louis Muhlstock tried to help him out, matting fifteen drawings and watercolours and sending them to the National Gallery in the hopes that McCurry could discreetly arrange some sales.[210] Knowing of the artist's reluctance to accept anything that smacked of charity, and of his tendency to rudely jilt those who lent him a hand, he asked McCurry "not to breathe a word of this to anyone as I would never be forgiven by Varley".[211] But he need not have worried, for McCurry wrote back to him that "I have done my best to get people interested but I am afraid our good friend has offended practically all likely picture buyers to such an extent that I find it impossible to pry any money out of them."[212] On January 28, 1942, he did write again to say that a small watercolour had finally sold, upon which Muhlstock advanced Varley $35 towards his overdue rent.[213]

A.Y. Jackson helped to arrange the sale of *Dhârâna* to the Art Gallery of Toronto for $500 in April,[214] the money from which should have enabled Varley to settle his debts and re-establish himself. But when payment came through, he took Fritz Brandtner and other friends out for a night on the town, and spent much of the money on drink.[215] Having little faith left that conditions would ever improve, he preferred to drown his sorrows in one glorious blow out than watch his bank balance dwindle away again for want of further sales. On February 22, 1943, he wrote to Billie Pike in Ottawa, "I'm caught in a pocket here—cannot see how to get out & am beginning to hate myself for remaining."

From the beginning of the Second World War he hoped to get back into the service.[216] But Canada was

175. *Liberation*, 1943
oil on canvas / huile sur toile, 71 x 61.5 cm
Mrs. Donald McKay, Toronto

"late in getting started"[217] in organizing its artists, and Varley was probably passed over because of his age and undisciplined behaviour. The only commission that he obtained was to make portraits of soldiers in Kingston in February 1942 for possible use in advertising. But he misunderstood the instructions and made oil paintings instead of drawings, which the Director of Public Information rejected as unsuitable for his purposes.[218] The government eventually bought one of the works in August,[219] presumably to help Varley recover some of his expenses, and left the other two with the artist to sell. *Canadian Soldier* (fig. 176) is the best of these. Although the left hand of the figure is clumsy and overly large, the matt, sombre colour and opposing diagonals of the composition are skillfully handled. Given the materials and opportunity, he could still pull off a good piece of work.

Varley contacted both Lord Beaverbrook and Vincent Massey in his efforts to obtain further commissions,[220] and by late 1942 was returning to Ottawa more and more frequently in the hopes of picking something up. While no work resulted, he did

176. *Canadian Soldier*, 1942
oil on canvas / huile sur toile, 101.5 x 81.3 cm
Art Collection Society of Kingston. Purchased by The
Women's Committee / Acquis avec des fonds fournis par le
Comité féminin / 1962

177. *Ottawa River*, c. / v. 1943
oil on canvas / huile sur toile, 55.9 x 71.1 cm
Private / Collection / privée, Vancouver
(Not available for the exhibition / Oeuvre non disponible
pour cette exposition)

178. *Reflections*, c. / v. 1943
watercolour on paper / aquarelle sur papier, 25.4 x 36.4 cm
Roberts Gallery, Toronto

156

juillet 1941. John Lyman, président de la Société d'art contemporain, l'ignorait—en partie à cause des liens antérieurs de Varley avec le Groupe des Sept—et les jeunes peintres faisaient assez peu de cas de lui, bien que lui et Goodridge Roberts se soient rencontrés et que chacun eût de l'admiration pour le travail de l'autre.[207] Peu à peu, Varley perdit de son enthousiasme pour cette ville et recommença à ne rien faire.

Le 22 juillet 1941, moins de trois mois après la fin du patronnage de son bienfaiteur anonyme, il écrivait à Len et Billie Pike, deux amis intimes d'Ottawa, pour leur demander de l'aide financière. Il devait déjà de l'argent à Louis Muhlstock et avait peu d'espoir de pouvoir subvenir à ses propres besoins en vendant ses tableaux. Au printemps, il avait fait du travail commercial—plusieurs des illustrations pour le livre de Stephen Leacock, *Canada: The Foundations of its Future* (fig. 173); et, en octobre, il avait placé un portrait de Duncan dans la vitrine des Galleries Watson "dans l'espoir d'obtenir ainsi des commandes de portraits."[208] Mais ces efforts n'aboutirent à rien, et quand décembre arriva, il était "absolument sans le sou."[209]

Louis Muhlstock essaya de l'aider en faisant les passe-partout pour quinze dessins et aquarelles qu'il envoya à la Galerie nationale dans l'espoir que McCurry s'arrangerait pour en vendre quelques-uns.[210] Connaissant la répugnance de l'artiste à accepter tout ce qui relevait de la charité et sa tendance à laisser tomber brusquement ceux qui lui donnaient un coup de main, il demanda à McCurry de "ne pas souffler un seul mot de tout ceci à qui que ce soit car Varley ne me le pardonnerait jamais."[211] Mais il n'avait pas besoin de tant s'inquiéter puisque McCurry lui répondit dans une lettre: "J'ai fait de mon mieux pour intéresser des gens, mais j'ai bien peur que notre bon ami ait blessé pratiquement tous les acheteurs éventuels de tableaux, à tel point qu'il m'est impossible de soutirer de l'argent à aucun d'eux."[212] Le 28 janvier 1942, il écrivait de nouveau pour dire qu'une petite aquarelle s'était enfin vendue, sur quoi Muhlstock avança $35 à Varley pour qu'il puisse payer son loyer qui était en retard.[213]

A.Y. Jackson aida à vendre *Dhârâna* à l'Art Gallery of Toronto, en avril, pour $500;[214] et cet argent aurait dû permettre à Varley de régler ses dettes et de repartir d'un bon pied. Néanmoins, lorsqu'il reçut le paiement, Varley invita Fritz Brandtner et d'autres amis à faire la bombe, ce qui lui coûta presque tout son argent.[215] N'ayant plus l'espoir de jamais pouvoir

améliorer sa condition de vie, il préférait noyer son chagrin en dépensant follement tout son argent que de voir son compte en banque décliner encore une fois faute de nouvelles ventes. Le 22 février 1943, il écrivit à Billie Pike à Ottawa: "Je suis pris dans un trou ici—je ne peux pas voir comment en sortir et je commence à me détester de rester ici."

Depuis le début de la deuxième guerre mondiale il espérait retourner dans l'armée.[216] Mais le Canada "s'attardait à commencer"[217] le recrutement de ses artistes, et Varley fut probablement laissé de côté à cause de son âge et de son manque de discipline. La seule commande qu'il reçut, en février 1942, fut celle pour faire des portraits de soldats à Kingston, destinés probablement à la publicité. Cependant, il comprit mal les instructions qu'on lui donna et, au lieu de dessins, fit des portraits à l'huile que le Directeur de l'information publique rejeta en disant qu'ils ne correspondaient pas à ses besoins.[218] En août, le gouvernement finit par acheter une de ces oeuvres,[219] sans doute pour aider Varley à couvrir une partie de ses frais, mais laissa à l'artiste le soin de vendre les deux autres. *Soldat canadien* (*Canadian Soldier*) (fig. 176) est la meilleure des trois. Bien que la main gauche du soldat soit maladroite et excessivement grosse, la couleur mate et sombre et les diagonales opposées de la composition sont bien calculées. Quand il avait le matériel et la possibilité, il était toujours capable de faire du bon travail.

Dans ses efforts pour obtenir d'autres commandes, Varley se mit en rapport avec Lord Beaver-

179. *Tree Patterns*, c. / v. 1940-44
oil on canvas board / huile sur toile cartonnée, 41 x 51 cm
Mrs. Donald McKay, Toronto

180. *Cornfield at Sunset*, c. / v. 1943
oil on wood panel / huile sur panneau de bois, 30 x 38.1 cm
Art Gallery of Ontario, Toronto. Gift from the Fund of the T.
Eaton Co. Ltd. for Canadian Works of Art / Don du Fonds de
la T. Eaton Cie Ltée pour Oeuvres d'art canadiennes / 1951

befriend several of the artists in the Naval Art Services. They invited him to share their studio and supplies.[221] Among the first paintings that he completed was a second version of *Liberation* (fig. 175).

Varley described this as a "war picture",[222] for the jagged fragments of colour along the right side clearly suggest search lights and exploding shells. The Christ figure himself stands in the same pose as before, but is darker and solid. His green eyes glow and light seems to emanate from the top of his head. Green and pink light radiates from the hole in the palm of his hand. A huge face discernibly emerges from the torso itself. The overall dark violet colouration and acid black outlines give this version of the subject a bitter, sinister flavour. It met with controversy and misunderstanding when included in a travelling exhibition and auction circulated in 1948.[223]

Sometime in the summer of 1943 Varley moved into Duncan's home in Ottawa. He was broke and in low spirits once again. The comfortable and supportive atmosphere in the Duncans' home slowly

181. *Untitled*, c. / v. 1943-44
pencil and watercolour on paper / crayon et aquarelle sur papier, 25.2 x 33.7 cm
Melodie Massey, Port Hope, Ontario

brook et Vincent Massey,[220] et vers la fin de 1942 il allait de plus en plus souvent à Ottawa dans l'espoir d'y trouver quelque travail. Bien qu'il n'y trouvât rien, il se lia d'amitié avec plusieurs artistes des Services d'art de la marine (Naval Art Services). Ceux-ci l'invitèrent à partager leur atelier et leur matériel.[221] On trouve parmi les oeuvres qu'il y exécuta une seconde version de *Libération* (fig. 175).

Varley décrivit cette oeuvre comme étant "un tableau de guerre,"[222] car les fragments pointus de couleur le long du côté droit suggèrent manifestement les lumières qui dardent des projecteurs et les obus qui explosent. La figure du Christ lui-même est dans la même pose, mais elle est plus sombre et plus solide. Ses yeux verts s'embrasent et des rayons de lumière semblent émaner de son crâne. De la lumière verte et rose rayonne du trou dans le paume de sa main. Un visage énorme émerge distinctement du torse lui-même. Le coloris d'ensemble d'un violet foncé et les contours d'un noir acide donnent à cette version du sujet un relent sinistre et amer. Le tableau fut sujet aux polémiques et à l'incompréhension

quand il fut inclus dans une exposition itinérante et dans une vente aux enchères en 1948.[223]

Durant l'été de 1943, Varley déménagea à la maison des Duncan, à Ottawa. Encore une fois, il était fauché et se sentait démoralisé. L'ambiance confortable et encourageante qu'il trouva chez les Duncan le remit peu à peu sur pied, et il fit un bon nombre de tableaux pendant l'année ou plus qu'il passa, de toute évidence, chez eux. La plupart de ces oeuvres sont d'une expression libre et simplifiée où le dessin et la couleur s'harmonisent exceptionellement bien. Certaines nous rappellent Cézanne par la façon dont il a mis l'emphase sur les motifs et sur l'intégration des branches et du ciel (fig. 169). Dans d'autres, notamment dans le tableau *La rivière Outaouais (Ottawa River)* (fig. 177), qui se prête à la contemplation, la passion de Varley pour l'oeuvre de Turner est évidente. Pourtant, tous ces tableaux sont imprimés de sa propre sensibilité et révèlent la plénitude d'un talent parvenu à maturité. En dépit de toutes les épreuves qu'il a dû subir, ses dons essentiels sont intacts.

renewed him and he made quite a few paintings during the year or more that he apparently stayed with them. Most are free, simplified statements, that harmonize drawing and colour exceptionally well. Some remind us of Cézanne in their emphasis on pattern and integration of branches and sky (fig. 169). Varley's love of Turner is evident in others, notably the contemplative *Ottawa River* (fig. 177). Yet all are stamped by his own sensibility, and display the fullness of a mature talent. Whatever trials he had undergone, his essential gifts remained.

182. *Woodnote*, 1944
pencil and watercolour on paper / crayon et aquarelle sur papier, 18 x 24.4 cm (sight size / estimation visuelle)
E. Dorland Taylor, Ottawa

183. *Whycogomagh*, 1955
charcoal on paper / fusain sur papier, 22.2 x 29.7 cm
Private / Collection / privée, Toronto

Varley returned to Toronto for the opening of a solo exhibition at Eaton's Fine Arts Gallery on November 30, 1944. Shortly before leaving Ottawa he wrote to Vera:

I am still having a hell of a time, a lousy half starved life—only made possible by a few friends who believe in me—At times I confess I have thought myself licked—then it is I find others believing in me—so I go on.[224]

But much to his surprise the exhibition was greeted warmly by the Toronto critics, who had seen little of his work in eighteen years. They were astonished at the changes that had taken place in his art, and welcomed him back with open arms. Pearl McCarthy wrote a glowing tribute in the November 4 edition of the *Globe and Mail*:

Varley is bigger now than he was [when with the Group of Seven], he is of today, and not yesterday, and no local opportunity to see his work has ever given the public such an adequate notion of the man's size.... it would be silly to waste space on Varley as part of the past history of the Canadian art movement. He is making more important history now.

184. *Portrait of Jennifer*, c. / v. 1943
conté on paper / conté sur papier, 24 x 20 cm
Mr. and Mrs. John Reid, Toronto

Varley responded with growing pleasure to this unexpected attention. Although sales were limited, interest was intense from the day the exhibition opened. Charles S. Band, who had amassed a large collection of paintings by Emily Carr and the Group of Seven during the thirties, bought *Night Ferry, Vancouver*. Hart House acquired *Open Window*, and asked for permission to reassemble part of the Eaton's exhibition in its own gallery. There was also a request for the show from London, Ontario.[225] On November 13 Varley told Len and Billie Pike that he was going to spend the winter in Toronto. Leonard and Reva Brooks took him into their home. But as things turned out, he would stay in the city for the rest of his life.

While he had to endure several more years of poverty, he experienced nothing like the destitution of the years in Ottawa and Montreal again. He was quietly grateful for the attention that he received in Toronto; and the city itself, which was just beginning to awaken from the long hibernation of the depression and war years, was pleased to be reunited with a character who returned with so many extraordinary

185. *Doctor T*, 1944
oil on canvas / huile sur toile, 57.5 x 52.1 cm
Private / Collection / privée, Toronto ex.: Eaton's, 1944
(Not available for the exhibition / Oeuvre non disponible pour cette exposition)

Varley revint à Toronto afin d'assister à l'ouverture d'une exposition solo aux Fine Arts Galleries chez Eaton's, le 30 novembre 1944. Peu avant son départ d'Ottawa, il écrivit à Vera: *"Je vis encore dans la misère, une véritable existence de crève-faim—que seule adoucit la présence de quelques amis qui ont confiance et croient en moi— J'avoue que quelquefois je me suis cru vaincu— chaque fois, j'ai trouvé des gens qui m'ont accordé leur confiance—et j'ai repris courage."*[224]

Toutefois, à sa grande surprise, les critiques torontois réservèrent un accueil chaleureux à son exposition; ils avaient vu très peu de ses oeuvres au cours des dix-huit années précédentes. Les changements marqués dans son art les étonnèrent et c'est pourquoi ils l'accueillirent à bras ouverts. Pearl McCarthy lui rendit un hommage tout particulier dans le *Globe and Mail* du 4 novembre:

Varley est plus grand maintenant qu'il ne l'était [lorsqu'il faisait partie du Groupe des Sept], il est du présent, non du passé, et aucune autre occasion d'admirer son oeuvre n'aura donné au public torontois la chance de saisir aussi bien la dimension de cet homme...il serait bête d'élaborer longuement sur l'impact de Varley au sein de l'histoire passée du mouvement artistique canadien. Sa contribution à l'histoire actuelle est beaucoup plus importante.

Varley réagit avec de plus en plus de plaisir à toute cette attention. Même si les ventes se faisaient plutôt rares, l'intérêt suscité par son exposition restait vif

186. *Self-Portrait—Days of 1943*, 1945
oil on canvas on masonite / huile sur toile
marouflée sur masonite, 49.5 x 40.7 cm
Hart House, University of Toronto

187. *Head of Girl*, c. / v. 1945
charcoal on paper / fusain sur papier, 28 x 31.1 cm
Mr. and Mrs. R.W.M. Manuge, Halifax

credentials and stories behind him.

Varley behaved gingerly, assuming an air of Edwardian courtliness in public. To his friends, he still often grumbled and spoke of leaving, and in 1946 briefly considered moving to Mexico with an air force medical officer whom he had met through the Duncans.[226] Canada "has felt so little & knows so little" he wrote to Mortimer-Lamb on March 1, 1946, "Returned & restless [soldiers] will tell you of the emptiness they find on coming back." Toronto was his refuge, not his destination. In early 1946 he teased Vera, "I'm praying for a wealthy widow who worships art with a capital A, but she must be very, very old."

He made a sprinkling of portrait drawings during his first years back in the city (figs. 187, 188, 190), and in late 1945 completed *Self-Portrait—Days of 1943* (fig. 186), a memory of the personal hell that he had just lived through. The "gammy eye"[227] on the left was the result of a bad fall in Montreal on November 28, 1942. It did not heal properly for well over a year, and in the self-portrait Varley looked back on it as a kind of emblem of his suffering.

He further documented his lamentable condition of two years before by splintering the painting into a mosaic of tiny geometric planes and pockets of colour. His figure is embedded in a prismatic envelope of light. And if we look carefully, we can see that

188. *Shelagh*, 1947
charcoal and watercolour on paper / fusain et aquarelle sur papier, 43.8 x 21 cm
Private / Collection / privée, Montréal

189. *Sleeping Figure*, undated / sans date
pencil and charcoal on cardboard / crayon et fusain sur carton,
30 x 38.2 cm
Mendy Sharf, Toronto
note: This Burne-Jones figure is impossible to date. A canvas
related to it was made in the early fifties (Mrs. Donald
McKay). Il est impossible de dater cette figure féminine qui
fait penser aux sujets de Burne-Jones. Une toile qui a des
affinités avec cette oeuvre a été exécutée au début des années
cinquante (Mrs. Donald McKay, Toronto).

190. *Dr. H. Thompson*, c. / v. 1946
charcoal on paper / fusain sur papier, 31.5 x 25.4 cm (sight
size / estimation visuelle)
Private / Collection / privée, Montréal

depuis l'inauguration. Charles S. Band, qui s'était amassé une grande collection des oeuvres d'Emily Carr et du Groupe des Sept, au cours des années trente, fit l'acquisition de *Bac de nuit, Vancouver* (*Night Ferry, Vancouver*). Hart House acheta *Fenêtre Ouverte* (*Open Window*) et demanda la permission de regrouper certaines parties de l'exposition de chez Eaton's dans sa propre galerie. Une autre demande vint de la ville de London, en Ontario.[225] Le 13 novembre, Varley annonça à Len et Billie Pike qu'il avait l'intention d'aller passer l'hiver à Toronto. Il s'installa chez Leonard et Reva Brooks. Toutefois, la tournure des événements voulut qu'il y demeure jusqu'à la fin de ses jours.

S'il eut à vivre encore plusieurs années dans la pauvreté, il ne connut jamais plus la misère des années de dénuement passées à Ottawa et à Montréal. Il était d'une discrète reconnaissance pour l'attention que lui accordait Toronto; et la ville elle-même, à peine sortie d'une longue hibernation provoquée par la Grande Dépression et les années de

guerre, était heureuse d'être unie de nouveau à ce personnage qui lui revenait avec tant de talents extraordinaires et d'histoires à raconter.

Varley adopta un comportement gracieux, faisant preuve d'une politesse édouardienne en public. Toutefois, il grognait souvent à ses amis, parlait de quitter la ville, et, en 1946, songea même, pendant un moment, à déménager au Mexique, afin d'y vivre avec un officier médical des forces armées que lui avaient présenté les Duncan.[226] Le Canada "a ressenti si peu, et sait si peu", écrivait-il à Mortimer-Lamb, le premier mars 1946, que "les [soldats] nerveux et agités vous parleront du vide qu'ils y découvrent, à leur retour." Toronto était son refuge, et non sa destination. Au début de 1946, il déclarait en blaguant à Vera: "Je prie afin de trouver une vieille veuve qui adule l'art, avec un A majuscule, mais il faut qu'elle soit très, très vieille."

Il ne produisit que quelques portraits au crayon pendant les premières années suivant son arrivée à Toronto (figs. 187, 188, 190) et, à la fin de 1945,

he has diagonally "crossed out" his face, the sloping outlines of his shoulders forming the bottom half of this element in the composition. The finished portrait is *Jeremiad*, and reminds us strongly of the style of the Austrian Expressionist Oscar Kokoschka.

Varley taught summer school in 1948 and 1949 in Homer Watson's old home at Doon, just south of Kitchener. Allowing his students to scatter about the countryside, he spent his days trudging from one to another, giving them advice on their work. Sixteen hour days were not uncommon.[228] Yet he was still able to produce a large number of drawings, watercolours, and oil sketches himself, and stayed at an inn near the school in the winter of 1948-49 in order to continue painting.

A distinct decline is evident in most of these works. Nearing seventy, Varley was beginning to lose his deftness and acuity of perception. There are clumsy breaks in the foregrounds of many of the Doon paintings. And although some of his problems were caused by the poor quality student boards and colours that he was using, his oil sketches of the period look rather lifeless and filled in. The drawings and oil paintings that he made, at the same time, of

191. *York Mills—Rosedale Golf Course*, 1947
watercolour on paper / aquarelle sur papier, 28.9 x 33.8 cm
J. Blair MacAulay, Oakville, Ontario

192. *Autumn—Doon*, 1948-49
pencil and watercolour on paper / crayon et aquarelle
sur papier, 25.7 x 34 cm
Private / Collection / privée, Toronto

193. *Doon*, 1948-49
oil on wood panel / huile sur panneau de bois, 30.3 x 38.2 cm
Jennings D. Young, Toronto

termina *Auto-portrait—Jours de 1943 (Self-Portrait —Days of 1943)* (fig. 186), en souvenir du terrible enfer par lequel il venait de passer. L'oeil meurtri[227] à la gauche était le résultat d'une mauvaise chute que Varley avait faite à Montréal, le 28 novembre 1942. L'oeil prit plus d'un an à guérir, et dans son auto-portrait, Varley le voyait comme une sorte de symbole de toute la souffrance qu'il avait endurée.

Il illustra davantage encore sa misère des deux années précédentes en fragmentant la peinture en une mosaïque de petits plans géométriques et d'éclats de couleur. La forme de son corps est noyée dans une enveloppe de lumière prismatique. Et, si l'on regarde bien, on peut s'apercevoir qu'il a rayé son visage de lignes diagonales, le tracé flou de ses épaules formant la moitié inférieure de cet élément de la composition. Le titre de cet auto-portrait complété est *Jeremiad*, et il fait beaucoup penser au style du peintre expressionniste autrichien, Oscar Kokoschka.

Varley donna des cours d'été en 1948 et 49, dans la vieille maison de Homer Watson, à Doon, juste au sud de Kitchener. Ayant permis à ses élèves de s'éparpiller un peu partout dans la campagne environnante, il passa ses journées à faire péniblement le

195. *Forest Landscape*, 1948-49
oil on pressed board / huile sur carton glacé, 30.5 x 38.1 cm
H.R. Milner Collection, Edmonton

194. Varley at the Doon Summer School of Fine Arts, Doon, Ontario, c. / v. 1949

167

196. *Dr. Hardolph Wasteneys*, 1950
oil on canvas / huile sur toile, 101.6 x 89 cm
Hart House, University of Toronto

Jess Crosby in Toronto are considerably more successful (figs. 197, 198), as is the portrait of *Dr. Hardolph Wasteneys* of 1950 (fig. 196).

On November 8, 1949, Allan Wargon wrote to Varley from Ottawa to ask if he would allow the National Film Board to make a short colour film about his life. Varley expressed interest, and near the end of the year settled his affairs in Doon and returned to Toronto.[229] Because of its small size, his studio had to be reconstructed at the Film Board to enable shooting.[230] Paintings were borrowed from Eastern collections, and on November 12, 1951, Varley signed the release permitting the Board to commence work.

The result is something of a disappointment, in part because of the melodramatic and sentimental way in which Varley presented himself, yet it provides a useful record of the man. Careless and indifferent one minute, his interest might be sparked by a small incident the next. He spent much time in thoughtful meditation, reconsidering earlier work, and only painting when he felt that he had found a way of successfully relating to his subject. Underlying this was a fatalism that was at times tinged with sorrow. In December 1955 he wrote to his sister Ethel, who was still living in Sheffield:

I have nothing, no power to say—I will do this—or I will do that. My life has taught me that I have nothing to do about "what will be". I believe! I have been schooled in a way of life so that I am immune to praise or—condemnation. As long as I make contact with a great Unknown and recognize the privelege of living in a glorious world, it would be impertinance to say "I will do this or that."

Varley's popular reputation grew steadily in Ontario during the fifties. His "transgressions" were forgiven, and he was increasingly sought out as an historical figure. The Art Gallery of Toronto organized a retrospective of ninety works that opened in October 1954, then travelled to the National Gallery of Canada and Montreal Museum of Fine Arts. A stripped down version of the exhibition later went on a brief tour of Western Canada, including a stop in Vancouver. Arthur Lismer, A.Y. Jackson, J.W.G. Macdonald, Charles Band, and R.H. Hubbard all contributed short essays to the catalogue.[231]

Varley's personal life finally stabilized about this time. He was introduced to Mr. and Mrs. Donald McKay, who invited him into their Lowther Avenue home in early 1955. They owned property in and

198. *Jess*, 1950
chalk and watercolour on paper / craie et aquarelle sur papier,
27.3 x 27 cm (sight size / estimation visuelle)
Mrs. J.P. Barwick, Ottawa (From the Douglas M. Duncan Collection / De la collection Douglas M. Duncan)

197. *Jess*, 1950
oil on canvas / huile sur toile, 55.9 x 40.7 cm
Private / Collection / privée, Kitchener, Ontario

trajet de l'un à l'autre, afin de leur donner des conseils. Il n'était pas rare de le voir ces étés-là travailler seize heure d'affilée.[228] Malgré tout, il réussit à produire une grande quantité de dessins, d'aquarelles et d'oeuvres à l'huile, et emménagea à l'auberge près de l'école, à l'hiver de 1948-49, afin de poursuivre sa peinture.

On peut remarquer un net déclin dans la qualité de la plupart de ces oeuvres. A l'orée de sa soixante-dixième année, Varley commençait à perdre de sa dextérité et de son acuité. Il y a des tracés maladroits et brisés dans les premiers plans de nombreuses peintures exécutées à Doon. Et même si nombre de ses problèmes viennent du fait qu'il se servait de peintures et de panneaux réservés à ses étudiants et de pauvre qualité, ses esquisses à l'huile exécutées à cette époque semblent surchargées et sans vie. Les dessins et peintures à l'huile de Jess Crosby, qu'il créa à Toronto au cours de cette même période, furent

considérablement mieux réussis (figs. 197, 198) de même que le portrait du *Docteur Hardolph Wastenys*, exécuté en 1950 (fig. 196).

Le 8 novembre 1949, Allan Wargon écrivit une lettre à Varley, à partir d'Ottawa, afin de lui demander s'il accorderait à l'Office national du film la permission de tourner un court film en couleur sur sa vie. Varley se montra intéressé par cette proposition et, vers la fin de l'année, régla ses affaires à Doon et plia bagage vers Toronto, une nouvelle fois.[229] Son atelier de peinture étant trop petit, on dut le recréer dans les studios de l'ONF afin de filmer.[230] On emprunta des toiles à des collections dans l'Est du pays et, le 12 novembre 1951, Varley signa un contrat donnant à l'Office la permission d'aller de l'avant avec son projet.

Le résultat final semble quelque peu décevant, en partie à cause de l'image mélodramatique et sentimentale que tente de se donner Varley. Toutefois, le

around Toronto, which Mrs. McKay largely managed. Varley recognized a like spirit in her, and appreciated her business sense.[232] Kathy frequently modelled for him (figs. 199, 200), and over the years became his protector and closest companion. She guarded his privacy and took care of his health. And although Varley felt inherently uneasy about such relationships, he was unquestionably grateful, for she kept him alive. But the years had taken their toll. His painting continued a perceptible decline. Gradually his colour, draftsmanship, and form became enfeebled. The little springs that had animated his hand and vision slowly dried up. His ending was not so much tragic as sad, for he seemed to sink into a sea of ambiguity, and began to falter or hesitate over every artistic decision.

There are no masterpieces from the last twenty years of his life. Most of the watercolours and pencil drawings that he brought back from Cape Breton in 1955 were misty and frail. Yet they do include some small flights of fancy, such as the gay dance of trees and clouds in *Whycogomagh* (fig. 183). And on his way back to Toronto in the fall, he stopped at St. Andrews East in Quebec, where he made a fine, masculine portrait of a young man in a green plaid shirt sitting before a rocky Canadian landscape with a curving blue and white pattern of sky and clouds woven about his head (fig. 201).

199. *Kathy* (unfinished / oeuvre inachevée), c. / v. 1952
oil on canvas / huile sur toile, 38.5 x 30.5 cm
Mrs. Donald McKay, Toronto

200. *Kathy*, 1953
pencil, red and green chalk, heightened with white, on paper / crayon, craie rouge et verte rehaussée de craie blanche, sur papier, 28.6 x 21 cm (image size / dimension de l'image)
Art Gallery of Ontario, Toronto. Gift from the Fund of the T. Eaton Co. Ltd. for Canadian Works of Art / Don du Fonds de la T. Eaton Cie Ltée pour Oeuvres d'art canadiennes / 1954

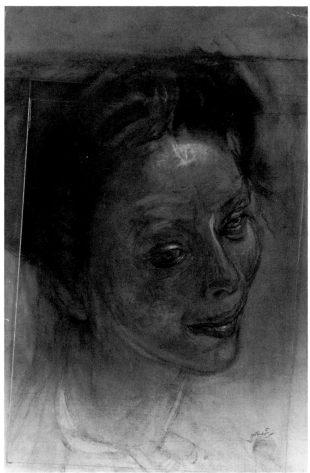

film présente un document valable sur l'homme. Indifférent et insouciant pendant un moment, la moindre chose pouvait, la seconde d'après, susciter tout son intérêt. Il passa beaucoup de temps à réfléchir et à méditer, réévaluant ses premières oeuvres, et ne s'adonnant à la peinture que lorsqu'il croyait avoir réussi à s'impliquer dans son sujet. A la base de tout ceci, il conservait une certaine attitude fataliste, parfois teintée de chagrin. En décembre 1955, il écrivit à sa soeur Ethel, qui vivait toujours à Sheffield:

Je n'ai rien, je n'ai pas le pouvoir de dire je ferai ceci ou je ferai cela. L'existence m'a appris que je ne peux rien au niveau de ce "qui sera". J'ai la foi! L'école de la vie m'a enseigné à rester imperméable aux louanges ou aux accusations. Aussi longtemps que je maintiens un lien avec un grand "Inconnu" et que j'accepte le privilège de vivre dans un monde merveilleux, je ferais preuve d'impertinence en déclarant "je ferai ceci ou cela."

La popularité de Varley continua de croître progressivement au cours des années cinquante. On excusa ses petits "travers" et on fit de plus en plus

201. *Tupper*, 1955
oil on canvas / huile sur toile, 101.5 x 86.5 cm
Private / Collection / privée, St. Andrews East, Québec

202. *Churchyard, Cape Breton*, 1955
pencil and watercolour on brown paper / crayon et aquarelle sur papier brun, 22.9 x 30 cm
Art Gallery of Windsor. Bequest of / Legs de / Dr. Clare S. Sanborn, 1978

203. *Sandy Beach—Kootenay Lake*, c. / v. 1957
watercolour on paper / aquarelle sur papier, 28 x 35 cm
Private / Collection / privée, Ancaster, Ontario

204. *Out in British Columbia*, c. / v. 1957
charcoal on paper / fusain sur papier, 23.5 x 29.8 cm
The Art Emporium, Vancouver

appel à lui, en sa qualité de personnage historique. L'Art Gallery of Toronto organisa une exposition rétrospective de quatre-vingt-dix oeuvres qui vit ses débuts en octobre 1954, et fit son chemin jusqu'à la Galerie nationale du Canada et au Musée des Beaux-Arts de Montréal. Une version abrégée de l'exposition entreprit une brève tournée de l'ouest canadien, et fut admirée, entre autres, à Vancouver. Arthur Lismer, A.Y. Jackson, J.W.G. Macdonald, Charles Band et R.H. Hubbard rédigèrent chacun un court texte qui fut inclus dans le catalogue.[231]

La vie privée de Varley se stabilisa, enfin, vers cette époque. On le présenta à M. et Mme Donald McKay, qui l'accueillirent dans leur foyer de la rue Lowther, au début de 1955. Ils étaient propriétaires de plusieurs maisons à Toronto et aux alentours, avoirs que Madame McKay gérait en grande partie. Varley voyait en elle un esprit semblable au sien, et admirait son sens des affaires.[232] Kathy lui servit souvent de modèle (figs. 199, 200) et devint, au cours des années,

à la fois sa protectrice et plus fidèle amie. Elle défendit sa vie privée et prit soin de sa santé. Même si Varley se sentait mal à l'aise d'entretenir de tels liens, il lui était reconnaissant sans aucun doute, puisque c'est elle qui alimentait en lui une étincelle de vie.

Toutefois, les années lui pesaient de plus en plus, et son oeuvre continua à s'en ressentir peu à peu. Progressivement, son sens des couleurs, sa dextérité et sa forme perdirent de leur caractère. Les élans créateurs qui avaient animé sa main et son oeil perdirent de leur vivacité. Sa fin fut moins tragique que triste, car il sembla sombrer dans une mer d'ambiguïtés, et se mit à jongler et à hésiter chaque fois qu'une décision artistique devait être prise.

Varley ne créa aucun chef d'oeuvre au cours des vingt dernières années de sa vie. La plupart des aquarelles et dessins au crayon qu'il ramena de l'Ile du Cap Breton, en 1955, s'avérèrent brouillés et faibles. Ces oeuvres contiennent cependant une certaine dose de fantaisie, telle la danse enjouée des arbres et des

205. *Kootenay Lake*, c. / v. 1959
oil on panel / huile sur panneau, 30.5 x 38.1 cm
Private / Collection / privée, Montréal

206. *Kootenay Lake*, c. / v. 1958
oil on canvas / huile sur toile, 60.8 x 76.2 cm
Mr. and Mrs. W.C. Harris, Toronto and King, Ontario

While still in Quebec, he ruminated again about returning to B.C.,[233] and in 1957 made the first of several sketchings trips to the south-east corner of the province. Kathy accompanied him, painting beside him and acting as his driver. They generally stayed on the eastern side of Kootenay Lake, around which Varley found most of his subject matter. Rays of sunlight illuminate the lake or small trees in the foreground of many of these paintings (figs. 205, 206). Varley's debt to Turner was clear.

He continued to paint until 1967, two years before his death at eighty-eight on September 8, 1969. The University of Manitoba presented him with an

207. *Outside My Studio Window, Unionville*, c. / v. 1963
oil on canvas / huile sur toile, 51 x 61 cm
Mrs. Donald McKay, Toronto

nuages dans *Whycogomagh* (fig. 183). Et, à l'automne, s'en retournant vers Toronto, l'artiste s'arrêta un moment à St-Andrews Est, au Québec, et y exécuta le beau et viril portrait d'un jeune homme en chemise à carreaux verte, assis devant un paysage canadien rocailleux, des volutes de ciel et de nuages bleues et blanches se tissant tout autour de sa tête (fig. 201).

Pendant qu'il était encore au Québec, il évalua la possibilité d'un déménagement à Vancouver[233] et, en 1957, effectua le premier de plusieurs voyages au sud-ouest de la province, dans le but d'y faire des esquisses. Kathy l'accompagnait toujours, peignant à ses côtés et lui servant de chauffeur. Le plus souvent,

ils travaillèrent sur la rive est du lac Kootenay, où Varley trouva la plupart des sujets qu'il peignit à cette époque. Dans beaucoup de ces oeuvres, on voit les rayons du soleil qui illuminent, en premier plan, le lac ou quelques jeunes arbres (figs. 205, 206). Il y est évident que Varley devait beaucoup à Turner.

Il continua de peindre jusqu'en 1967, deux ans avant sa mort, à quatre-vingt-huit ans, le 8 septembre 1969. En 1961, l'Université du Manitoba lui remit un doctorat en droit *honoris causa* (LL.D.) ("Fred n'accepterait jamais un de ceux-là," disait en riant un de ses vieux amis.[234]) Il fut un des quatre récipiendaires de la médaille du Conseil des Arts du Canada,

L.L.D. in 1961. ("Fred would never accept one of those", an old friend laughed.[234]) He was one of four recipients of the Canada Council Medal for 1963. In reading the citation, the speaker quoted him, "It's a privilege to live—The older you get, the richer you become."[235]

His youngest son, Peter, who witnessed this gradual waning away of power, maintained links with the family. Varley's other three children, who remained in Vancouver, virtually never saw him. But their lives, and the lives of dozens of other people had been profoundly affected by his passing. He had indeed been the "violent stream" that Fred Amess referred to earlier.

His achievements were brilliant and digressive. He made some remarkable paintings, and was a draughtsman of the first order, but we may now feel that he spread himself thin with experimentation when steady painting was required.

Yet there was logic to Varley's strategy, for his desire was to taste everything and live life to the full. He was largely motivated by the abundant variety of experience that the world offered, and his oeuvre is filled with little gems and surprises.

He tried to see deeply into the patterns that unite art, humanity, and nature, and disregarded the conventionalized hierarchies of the academic. But his findings were always tentative, and he discovered that they were no guarantees of success. He was at times indecisive, and was frequently more accomplished on a small scale, for he needed to record his impressions before the impetus that had initially motivated him had faded or become muddled and overly developed. His watercolours, portraits, and some of the oil sketches represent his most important contributions to Canadian art. They are moving and original works that remind us of the need to find our own paths and to face the world without preconceptions.

I write this essay in tribute and farewell to my grandfather, whom I respect deeply. He got lost many times, but never gave up the struggle.

Christopher Varley,
April 28, 1981

208. The artist in 1966 / L'artiste en 1966

en 1963. Dans son discours d'hommage, le maître de cérémonie cita Varley, en disant: "C'est tout un privilège que de vivre—le plus on vieillit, le plus riche on devient."[235]

Son fils cadet, Peter, qui fut témoin de son déclin graduel et de sa perte de potentiel, maintint toujours des liens avec sa famille. Les autres enfants de Varley, qui restèrent à Vancouver, ne le virent jamais. Mais leur vie, de même que la vie de dizaines d'autres personnes, fut profondément marquée par cet homme. Il avait bien été, comme le disait plus tôt Fred Amess, un "ruisseau violent".

Ses exploits furent brillants et cousus de digressions. Il exécuta des toiles remarquables, et fut un dessinateur de premier ordre, mais nous pouvons maintenant croire qu'il est peut-être allé trop loin au niveau de l'expérimentation, au détriment d'une peinture constante.

Il y avait pourtant une certaine logique dans la stratégie de Varley car son plus cher désir était de goûter pleinement à la vie et de vivre avec la plus grande intensité. Il était motivé en grande mesure par toute la gamme des expériences que le monde lui offrait et, conséquemment, son oeuvre est truffée de surprises et de véritables petits bijoux.

Il tenta de découvrir les liens profonds qui unissent l'art, l'humanité et la nature. Il fit fi des hiérarchies conventionnelles des académiciens. Toutefois, ses trouvailles furent toujours expérimentales et il découvrit qu'elles ne lui assuraient pas pour autant le succès. Il fut quelquefois indécis, et manifesta souvent plus de génie en travaillant des oeuvres à petite échelle, car il lui fallait enregistrer ses impressions initiales avant que l'élan premier qui les avait suscitées se soit calmé ou brouillé et par trop développé. Ses aquarelles, ses portraits et quelques-unes de ses toiles à l'huile représentent sa plus importante contribution au domaine de l'art canadien. Ce sont des oeuvres émouvantes et originales qui nous rappellent que nous devons tous trouver notre propre chemin et affronter le monde sans idées préconçues.

J'écris cet essai en hommage et en adieu à mon grand-père, pour qui je garde le plus profond respect. Il a maintes fois perdu une joute, mais il n'a jamais abandonné la bataille.

Christopher Varley
le 28 avril 1981

Notes

Unless otherwise noted, all of the artist's letters or photostats of his letters that are quoted are in the possession of Peter Varley, the artist's youngest son.

1. Philip Surrey; unpublished manuscript, 1980.
2. Elie Faure; *History of Art: Modern Art*, Garden City Publishing Co. Ltd., Garden City, (New York) 1937, (U.S. copyright date: 1924) see page 480.
3. Ibid. as quoted by Faure, page 424.
4. Varley as quoted by Miriam Kennedy in a tape recorded conversation with Peter Varley, Montreal, July 1969. Recording in the possession of Peter Varley.
5. Seebohm, Henry; *Coloured Figures of The Eggs of British Birds*, Pawson and Brailsford, (Sheffield) 1896. Samuel Varley was an employee of Pawson and Brailsford.
6. Unless otherwise noted, information concerning Varley's early life in England is drawn from informal conversations between Peter Varley and Christopher Varley, Kathleen McKay and Christopher Varley, or from tape recorded conversations between Ethel Varley, the artist's sister, and Peter Varley, made in Sheffield in February, 1969. The recordings are in the possession of Peter Varley.
7. John Kirby, Site Librarian, Sheffield City Polytechnic, to Christopher Varley, January 22, 1981.
8. The artist to Peter Varley, undated (c. 1952).
9. Dr. Guido Persoons, Scientific Librarian, Nationaal hoger instituut en koninklijke academie voor schone kunsten, Antwerpen, to Christopher Varley, January 23, 1981.
10. The artist to Ethel Varley, undated (April 1902?).
11. The artist to Vera Weatherbie, November 4 (1931). In the Archives of The Edmonton Art Gallery.
12. "Sees Vision of Golden Age of Expression on the Horizon", *The Journal*, (Edmonton) March 27, 1924.
13. The artist to Ethel Varley, undated (1900-1902):
    "Lately I have been reading Corinthians and never felt more grandeur than in these writings—what depth and largeness there is in just a few words. It struck me that it was very similar in parts to Bhuddism [sic] in the 'Light of Asia'."
    see: Arnold, Sir Edwin; *The Light of Asia*, Kegan Paul, Trench, Trubner & Co., Ltd., (London) 1900.
14. The artist to Maud Varley, March 3, 1913; to Vera Weatherbie, November 4 (1931). The latter letter is in the Archives of The Edmonton Art Gallery.
15. Kathleen McKay in conversation with Christopher Varley, April 7, 1981.
16. Ibid.
17. *Information Form: For The Purpose of Making Record of Artists and Their Work*, The National Gallery of Canada, 1922. In the Archives of The National Gallery of Canada.
18. The artist described the setting of this painting in a tape recorded conversation with Lawrence Sabbath made in September 1960. The recording is now in the Archives of The Agnes Etherington Art Centre, Queen's University, Kingston, Ontario.
19. The nickname for Mary Konikin, one of Varley's students in 1925-26 at the Ontario College of Art. See: The artist to Mary Konikin, June 3, 1929.
20. John Ruskin; *Modern Painters*, particularly Volume IV, John Wiley and Sons (New York) 1883.
21. Marjorie Bridges to Christopher Varley, November 10, 1980.
22. The artist to Maud Varley, August 9, 1912. See also: McKenzie Porter; "Varley", *MacLean's*, Volume 72, Number 23, November 7, 1959.
23. Ibid. The artist to Maud Varley.
24. Catalogue of Department of Fine Arts, *Canadian Artists*, Canadian National Exhibition, August 24-September 9, 1912. Varley exhibited *A Grey Morning* and *Woodland* in the "Canadian Artists" section, and *A Tree Study* and *Collier's Wife* with "Canadian Illustrations".
25. Hunter Bishop, Archivist/Librarian, The Arts and Letters Club, Toronto, to Christopher Varley, December 16, 1980.
26. The artist in tape recorded conversation with Lawrence Sabbath, September 1960.
27. The artist to Ethel Varley, January 7 (1913).
28. The artist to Maud Varley, March 3, 1913.
29. Peter Varley to Christopher Varley, April 26, 1981.
30. Tom Thomson to the artist, July 8, 1914. Photostat in the possession of Peter Varley.
31. The artist to Dr. James MacCallum, undated. In the Archives of The National Gallery of Canada. "I'd like to tell you that you have given me the opportunity to wake up."
32. Hunter Bishop to Christopher Varley, December 16, 1980.
33. *Catalogue of Pictures and Sculpture Given by Canadian Artists in Aid of the Patriotic Fund*, opened December 30, 1914, Toronto Art Museum.
34. See: The artist to Dr. James MacCallum, January 15, 1919. In the Archives of The National Gallery of Canada. Varley alludes to his "account" with MacCallum (ie. debts).
35. Transcript provided by State and Military Records, Federal Archives Division, Public Archives of Canada.
36. Barker Fairley in tape recorded conversation with Peter Varley, April 23, 1969. Recording in the possession of Peter Varley.
37. Unidentified press clipping in the possession of Peter Varley.
38. Barbara Wilson, Military Specialist, State and Military Records, Federal Archives Division, Public Archives of Canada to Christopher Varley, December 10, 1980. The letter quotes a report dated August 31, 1919 that implies that Varley did some work for the government before he was actually commissioned by the armed forces.
39. Sir Edmund Walker to J.W. Beatty, December 12, 1919. In the Archives of The National Gallery of Canada.
40. Hunter Bishop to Christopher Varley, December 16, 1980.
41. Barbara Wilson to Christopher Varley, December 10, 1980. The departure date is given.
    The artist to Maud Varley, March 26, 1918. The ship is named.
42. Canadian Expeditionary Force, Routine Orders, Headquarters, Ottawa, April 17, 1918. Public Archives of Canada.

Notes

A moins de précisions contraires, toutes les lettres ou copies de lettres que nous citons appartiennent au fils cadet de l'artiste, Peter Varley.

1. Philip Surrey; manuscrit inédit, 1980.

2. Elie Faure; *History of Art: Modern Art*, aux éditions Garden City Publishing Co. Ltd., Garden City, (New York) 1937 (copyright des Etats-Unis en date de 1924), voir page 480.

3. Ibid., tel que cité par Faure, page 424.

4. Varley tel que cité par Miriam Kennedy dans une conversation enregistrée avec Peter Varley, à Montréal, en juillet 1969. L'enregistrement propriété de Peter Varley.

5. Seebohm, Henry; *Coloured Figures of The Eggs of British Birds*, Pawson et Brailsford, (Sheffield) 1896. Samuel Varley était un employé chez Pawson et Brailsford.

6. A moins de précisions contraires les renseignements concernant les jeunes années de Varley en Angleterre proviennent de conversations informelles entre Peter Varley et Christopher Varley, Kathleen Varley et Christopher Varley, ou de conversations enregistrées entre Ethel Varley, la soeur de l'artiste, et Peter Varley, qui ont eu lieu à Sheffield, en février 1969. Les enregistrements propriété de Peter Varley.

7. John Kirby, bibliothécaire, Sheffield City Polytechnic, à Christopher Varley, le 22 janvier 1981.

8. Lettre de l'artiste à Peter Varley, non datée (vers 1952).

9. Dr. Guido Persoons, bibliothécaire scientifique, National hoger instituut en koninklijke academie voor schone kunsten, Anvers, à Christopher Varley, le 23 janvier 1981.

10. Lettre de l'artiste à Ethel Varley, non datée (avril 1902?).

11. Lettre de l'artiste à Vera Weatherbie, le 4 novembre (1931). Aux archives de l'Edmonton Art Gallery.

12. "Sees Vision of Golden Age of Expression on the Horizon", *The Journal*, (Edmonton), le 27 mars 1924.

13. Lettre de l'artiste à Ethel Varley, non datée (1900-1902): "Dernièrement, je me suis mis à lire Corinthiens, et je n'ai jamais ressenti tant de grandeur que dans ces écrits—quelle profondeur, quelle grandeur d'idées dans ces quelques mots. Il m'a semblé tout à coup que c'était très semblable, en certains endroits, au bouddhisme dans 'Light of Asia'." Voir: Arnold, Sir Edwin; *The Light of Asia*, Kegan Paul, Trench, Trubner et Co., Ltd., (Londres) 1900.

14. Lettre de l'artiste à Maud Varley, le 3 mars 1913; à Vera Weatherbie, le 4 novembre (1931). La dernière lettre aux archives de l'Edmonton Art Gallery.

15. Kathleen McKay dans une conversation avec Christopher Varley, le 7 avril 1981.

16. Ibid.

17. *Information Form: For The Purpose of Making Record of Artists and Their Work*, Galerie nationale du Canada, 1922. Aux archives de la Galerie nationale du Canada.

18. L'artiste a décrit le cadre dans lequel cette peinture a été exécutée dans une entrevue enregistrée avec Lawrence Sabbath, en septembre 1960. Cet enregistrement est maintenant aux archives du Agnes Etherington Art Centre de l'Université Queen's, à Kingston, en Ontario.

19. Le sobriquet donné à Mary Konikin, une des élèves de Varley en 1925-26, au Ontario College of Art. Voir: lettre de l'artiste à Mary Konikin, le 3 juin 1929.

20. John Ruskin; *Modern Painters*, en particulier le volume IV, John Wiley and Sons, (New York) 1883.

21. Marjorie Bridges à Christopher Varley, le 10 novembre 1980.

22. Lettre de l'artiste à Maud Varley, le 9 août 1912. Voir aussi: McKenzie Porter; "Varley", *Maclean's*, volume 72, numéro 23, le 7 novembre 1959.

23. Ibid. Lettre de l'artiste à Maud Varley.

24. Catalogue du département des beaux-arts, *Canadian Artists*, Exposition nationale du Canada, du 24 août au 9 septembre 1912. Varley présenta *A Grey Morning* et *Woodland*, dans la catégorie "Artistes canadiens", et *A Tree Study* et *Collier's Wife*, dans la catégorie "Illustrations canadiennes."

25. Hunter Bishop, Archiviste/bibliothécaire, The Arts and Letters Club, Toronto, à Christopher Varley, le 16 décembre 1980.

26. L'artiste, dans une conversation enregistrée avec Lawrence Sabbath, septembre 1960.

27. Lettre de l'artiste à Ethel Varley, le 7 janvier (1913).

28. Lettre de l'artiste à Maud Varley, le 3 mars 1913.

29. Lettre de Peter Varley à Christopher Varley, le 26 avril 1981.

30. Lettre de Tom Thomson à l'artiste, le 8 juillet 1914. Photocopie propriété de Peter Varley.

31. Lettre de l'artiste au Dr. James MacCallum, non datée. Aux archives de la Galerie nationale du Canada. "Je voudrais vous dire que vous m'avez donné la chance de me réveiller."

32. Lettre de Hunter Bishop à Christopher Varley, le 16 décembre 1980.

33. *Catalogue of Pictures and Sculpture Given by Canadian Artists in Aid of the Patriotic Fund*, exposition inaugurée le 30 décembre 1914, Toronto Art Museum.

34. Voir: Lettre de l'artiste au Dr. James MacCallum, le 15 janvier 1919. Aux archives de la Galerie nationale du Canada. Varley fait allusion au "compte" qu'il a avec MacCallum (i.e. dettes).

35. Transcription fournie par les Archives militaires et d'Etat, Division des Archives fédérales, Archives publiques du Canada.

36. Barker Fairley, dans une conversation enregistrée avec Peter Varley, le 23 avril 1969. L'enregistrement propriété de Peter Varley.

37. Coupure de presse non identifiée, propriété de Peter Varley.

38. Lettre de Barbara Wilson, spécialiste militaire aux Archives militaires et d'Etat, Division des archives fédérales, Archives publiques du Canada, à Christopher Varley, le 10 décembre 1980. La lettre mentionne un rapport daté du 31 août 1919, qui laisse croire que Varley a

43. The artist to Maud Varley, April 14, 1918.

44. The artist to Maud Varley, April 21, 1918.

45. The artist to Maud Varley, May 3, 1918.

46. The artist to Maud Varley, May 27, 1918.

47. The artist to Maud Varley, May 3, 1918.

48. The artist to Maud Varley, May 27, 1918.

49. *List of Pictures Commissioned for, Purchased by and Presented to the Canadian War Memorials Fund*, June 20, 1918. Public Archives of Canada.

50. Captain O'Kelly (Canadian War Museum), Lieutenant McKean (fig. 21), and Lieutenant McLeod (present whereabouts unknown).

51. The artist to Maud Varley, September 16, 1918.

52. The artist to Maud Varley, May 27, 1918.

53. The artist to Maud Varley, September 16, 1918.

54. The artist to Maud Varley, undated (mid-October).

55. The artist to Maud Varley, November 8, 1918.

56. The artist to Maud Varley, December 27, 1918.

57. *Canadian War Memorials Exhibition*, Burlington House, London, January and February, 1919. Notes for *Some Day The People Will Return*, catalogue number 131.

58. The artist in tape recorded conversation with Lawrence Sabbath, September 1960.

59. The artist to Maud Varley, December 27, 1918.

60. See: "A London Diary", *The Nation*, Volume 24, Number 15, January 11, 1919, (London) p. 426.

61. The artist in tape recorded conversation with Lawrence Sabbath, September 1960.

62. Ibid.

63. Varley used Rothenstein's name years late as a reference, stating that Rothenstein would remember and comment favourably on his Canadian War Records paintings. See: The artist to Dr. Charles Camsell, Deputy Minister of Mines and Resources, July 2, 1940. Public Archives of Canada.

64. The artist to Arthur Lismer, May 2, 1919. In the Archives of the McMichael Canadian Collection, Kleinburg.

65. The artist to Maud Varley, November 8, 1918.

66. The artist to Maud Varley, April 28, 1919; to Arthur Lismer, May 2, 1919.

67. Barbara Wilson to Christopher Varley, December 10, 1980.

68. Letter to G.A. Reid from Sir Edmund Walker, November 10, 1919. In the Archives of The National Gallery of Canada.

69. Canadian Expeditionary Force, Routine Orders, Headquarters, Ottawa, August 22, 1919. Public Archives of Canada.

70. See bill for three months rent attached to letter from the artist to Eric Brown, November 29, 1919. In the Archives of The National Gallery of Canada.

71. The artist in tape recorded conversation with Lawrence Sabbath, September 1960.

72. See: Peter Mellen; *The Group of Seven*, McClelland and Stewart Ltd., (Toronto) 1970. A photograph of dead soldiers positioned in the same way as those in Varley's painting is reproduced on page 74.

73. The artist to Maud Varley, January 14, 1919.

74. "A London Diary", *The Nation*, Volume 24, Number 15, January 11, 1919 (London) p. 426.

75. The artist to Arthur Lismer, May 2, 1919; to Eric Brown, March 2, 1920. The latter letter is in the Archives of The National Gallery of Canada.

76. Henri Masson in tape recorded conversation with Peter Varley, May 1969. Recording in the possession of Peter Varley.

77. Barker Fairley; "Some Canadian Painters: F.H. Varley", *Canadian Forum*, Volume 2, Number 19, April 1922.

78. These bills were not paid until early June 1920. See: Sir Edmund Walker to Eric Brown, June 7, 1920.

79. *Group of Seven: Exhibition of Paintings*, Art Museum of Toronto, May 7-27, 1920. Varley exhibited: 102. *Portrait of Mr. Vincent Massey*, 103. *Portrait of Miss Winnifred Head*, 104. *Portrait of J.E.H. MacDonald, A.R.C.A.*, 105. *Character Sketch—Professor Barker Fairley*, 106. *The Sunken Road—August 1918*, 107. *The Old Barn*, 108. *Farm—South Camp, Seaford, England*, 109-114. *Sketches*.

80. Harris exhibited four untitled portraits.

81. *Group of Seven: Exhibition of Paintings*.

82. F.B. Housser; *A Canadian Art Movement: The Story of the Group of Seven*, The MacMillan Company of Canada Ltd., (Toronto) 1926, p. 214.

83. *Toronto Daily Star*, May 20, 1922. In the Archives of the Art Gallery of Ontario.

84. Herbert H. Stansfield; "Portraits at the O.S.A.", *Canadian Forum*, Volume 5, Number 56, May 1925, pp. 239-240.

85. *M. Henry Marshall Tory* (Collection of The University of Alberta). Commenced in Toronto in 1923, and completed in Edmonton in 1924. Dated 1923.

86. Dorothy Farr, Curator, Agnes Etherington Art Centre, to Christopher Varley, November 20, 1980.

87. *Group of Seven: Exhibition of Paintings*. The *Portrait of Vincent Massey* is listed as a loan by "Mr. Massey and by courtesy of the Warden and Stewards of Hart House".

88. Housser; *A Canadian Art Movement*, p. 215.

89. *Portrait of Chester D. Massey*, 1920 (Collection of Hart House, University of Toronto)
Portrait of Sir George Parkin, 1921 (Collection of The National Gallery of Canada) Parkin was Vincent Massey's father-in-law.

90. The artist to Maud Varley, undated (late March 1924).

91. "Sees Vision of Golden Age of Expression on the Horizon", *The Journal*, (Edmonton) March 27, 1924.

92. Stansfield; "Portraits at the O.S.A.", p. 239.

93. James Varley and Dorothy Sewell, son and daughter of the artist in tape recorded conversation with Peter Varley, May 1970. Recording in the possession of Peter Varley.

94. Roger Boulet in conversation with Christopher Varley, March 12, 1981.

95. Housser; *A Canadian Art Movement*, p. 196.

96. The artist to Maud Varley, April 13, 1924.

97. "Some notes on F.H. Varley and the O.C.A." compiled by Hunter Bishop and enclosed in a letter to Christopher Varley, January 31, 1981.

travaillé pour le gouvernement avant d'avoir été officiellement commissionné par les forces armées.

39. Lettre de Sir Edmund Walker à J.W. Beatty, le 12 décembre 1919. Aux archives de la Galerie nationale du Canada.

40. Lettre de Hunter Bishop à Christopher Varley, le 16 décembre 1980.

41. Lettre de Barbara Wilson à Christopher Varley, le 10 décembre 1980. La date de départ est indiquée.
Lettre de l'artiste à Maud Varley, le 26 mars 1918. On donne le nom du navire.

42. Canadian Expeditionary Force, Routine Orders, Headquarters, Ottawa, le 17 avril 1918. Archives publiques du Canada.

43. Lettre de l'artiste à Maud Varley, le 14 avril 1918.

44. Lettre de l'artiste à Maud Varley, le 21 avril 1918.

45. Lettre de l'artiste à Maud Varley, le 3 mai 1918.

46. Lettre de l'artiste à Maud Varley, le 27 mai 1918.

47. Lettre de l'artiste à Maud Varley, le 3 mai 1918.

48. Lettre de l'artiste à Maud Varley, le 27 mai 1918.

49. *List of Pictures Commissioned for, Purchased by and Presented to the Canadian War Memorials Fund*, le 20 juin 1918. Archives publiques du Canada.

50. Le capitaine O'Kelly (Musée canadien de la guerre), le lieutenant McKean (fig. 21), et le lieutenant McLeod (propriétaire actuel inconnu).

51. Lettre de l'artiste à Maud Varley, le 16 septembre 1918.

52. Lettre de l'artiste à Maud Varley, le 27 mai 1918.

53. Lettre de l'artiste à Maud Varley, le 16 septembre 1918.

54. Lettre de l'artiste à Maud Varley, non datée (mi-octobre).

55. Lettre de l'artiste à Maud Varley, le 8 novembre 1918.

56. Lettre de l'artiste à Maud Varley, le 27 décembre 1918.

57. *Canadian War Memorials Exhibition*, Burlington House, London, janvier et février 1919. Notes pour *Some Day The People Will Return*, catalogue numéro 131.

58. L'artiste, dans une conversation enregistrée avec Lawrence Sabbath, septembre 1960.

59. Lettre de l'artiste à Maud Varley, le 27 décembre 1918.

60. Voir: "A London Diary", *The Nation*, volume 24, numéro 15, le 11 janvier 1919 (London), page 426.

61. L'artiste, dans une conversation enregistrée avec Lawrence Sabbath, septembre 1960.

62. Ibid.

63. Des années plus tard, Varley se servit du nom de Rothenstein à titre de référence, en déclarant que Rothenstein se souviendrait de ses oeuvres pour les Archives de guerre du Canada et qu'il porterait un jugement favorable sur elles. Voir: lettre de l'artiste au Dr. Charles Camsell, Ministre adjoint aux Mines et ressources, le 2 juillet 1940. Archives publiques du Canada.

64. Lettre de l'artiste à Arthur Lismer, le 2 mai 1919. Aux archives de la McMichael Canadian Collection, Kleinburg.

65. Lettre de l'artiste à Maud Varley, le 8 novembre 1918.

66. Lettre de l'artiste à Maud Varley, le 28 avril 1919.
Lettre de l'artiste à Arthur Lismer, le 2 mai 1919.

67. Lettre de Barbara Wilson à Christopher Varley, le 10 décembre 1980.

68. Lettre de Sir Edmund Walker à G.A. Reid, le 10 novembre 1919. Aux archives de la Galerie nationale du Canada.

69. Canadian Expeditionary Force, Routine Orders, Headquarters, Ottawa, le 22 août 1919. Archives publiques du Canada.

70. Voir facture pour trois mois de loyer jointe à une lettre de l'artiste à Eric Brown, le 29 novembre 1919. Aux archives de la Galerie nationale du Canada.

71. L'artiste, dans une conversation enregistrée avec Lawrence Sabbath, septembre 1960.

72. Voir: Peter Mellen; *The Group of Seven*, McClelland et Stewart Ltd., (Toronto) 1970. Une photographie de soldats morts dans la même position que celle peinte dans une oeuvre de Varley est reproduite à la page 74.

73. Lettre de l'artiste à Maud Varley, le 14 janvier 1919.

74. "A London Diary", *The Nation*, volume 24, numéro 15, le 11 janvier 1919 (London), page 426.

75. Lettre de l'artiste à Arthur Lismer, le 2 mai 1919; à Eric Brown, le 2 mars 1920. Cette dernière lettre propriété des archives de la Galerie nationale du Canada.

76. Henri Masson, dans une conversation enregistrée avec Peter Varley, mai 1969. Enregistrement propriété de Peter Varley.

77. Barker Fairley; "Some Canadian Painters: F.H. Varley", *Canadian Forum*, volume 2, numéro 19, avril 1922.

78. Ces factures ne furent pas payées avant le début juin 1920. Voir: Lettre de Sir Edmund Walker à Eric Brown, le 7 juin 1920.

79. *Group of Seven: Exhibition of Paintings*, Art Museum of Toronto, du 7 au 27 mai 1920. Varley présenta en exposition: 102. *Portrait of Mr. Vincent Massey*, 103. *Portrait of Miss Winnifred Head*, 104. *Portrait of J.E.H. MacDonald, A.R.C.A.*, 105. *Character Sketch—Professor Barker Fairley*, 106. *The Sunken Road—August 1918*, 107. *The Old Barn*, 108. *Farm—South Camp, Seaford, England*, 109-114. *Sketches*.

80. Harris exposa quatre portraits sans titres.

81. *Group of Seven: Exhibition of Paintings*.

82. F.B. Housser; *A Canadian Art Movement: The Story of the Group of Seven*, The MacMillan Company of Canada Ltd., (Toronto) 1926, page 214.

83. *Toronto Daily Star*, le 20 mai 1922. Aux archives de l'Art Gallery of Ontario.

84. Hebert H. Stansfield; "Portraits at the O.S.A.", *Canadian Forum*, volume 5, numéro 56, mai 1925, pages 239-240.

85. M. Henry Marshall Tory (Collection de l'Université de l'Alberta). Commencé à Toronto en 1923, achevé à Edmonton en 1924, daté 1923.

86. Lettre de Dorothy Farr, conservatrice, Agnes Etherington Art Centre, à Christopher Varley, le 20 novembre 1980.

87. *Group of Seven: Exhibition of Paintings*. Le *Portrait of Vincent Massey* est inscrit à titre de prêt par "M. Massey avec la gracieuse permission du directeur et des administrateurs de Hart House".

88. Housser; *A Canadian Art Movement*, page 215.

98. Council Minutes, Ontario College of Art, October 2, 1925. In the Archives of the Ontario College of Art.

99. *1926-27 Prospectus*, Ontario College of Art, and Council Minutes referred to in note 98.

100. *Students Annual*, Ontario College of Art, May 1927. In the archives of the Ontario College of Art.

101. The artist's comments that can be documented were all made after the Group of Seven had disbanded. He did not "understand" Harris' abstract paintings, and considered all his art to be "cold", although sometimes beautiful (the artist in tape recorded conversation with Lawrence Sabbath, September 1960). Of Harris and A.Y. Jackson, he wrote to H. Mortimer-Lamb on June 6, 1936: "I find poor [Jackson] feeling sorry for himself because Lawren entering more deeply, or numbing himself with theosophy, attracted a little crowd of youthful admirers who were so goggle-eyed that they failed to see our husky friend A.Y.... [Jackson's] sketches were lovely but he has done them hundreds of times & then he paints canvases as enlarged sketches & no more—He is dangerously near mediocrity at the moment." (In the collection of the Archives of the McMichael Canadian Collection, Kleinburg).

Varley's friendship with Lismer also dissolved over the years, in part because Lismer's wife disapproved of Varley's behaviour (Marjorie Bridges to Christopher Varley, December 3, 1980), and in part because Varley thought Lismer talked too much and painted too little. Around May 1940 the artist wrote: "That blasted idiot Arthur Lismer is swanking across the country telling the artists to come out of their ivory towers & live the every day, depicting the struggles of democracy—such tripe is offset by a talk in the April Studio—*warning* us of similar things [R.O. Dunlop: "The Need for Permanent Values in the Art of Our Time", *The Studio*, Volume 119, Number 565, April 1940]—I felt quite cheered up by reading it, & profoundly feel that no matter what adverse appearances the present time has—we are dealing with a universal & not historic—If the blighter [Lismer] had been more of an artist—he would have continued painting instead of gabbing about it & telling others what they should do—I've met him a few times here in Ottawa—but he seems afraid I'll contaminate him—He couldn't be contaminated—being too self-centred, untouchable. I think his only sorrow is that he cannot break through the walls he's imprisoned himself in."
(The artist to Vera Weatherbie, incomplete and undated (c. May 1940), in the Archives of The Edmonton Art Gallery.)

102. A. H. Munsell; *A Color Notation*, Munsell Color Company, Inc., (Baltimore) 1961, p. 34.

103. F. H. Varley; "Room 27 Speaking", *The Paint Box*, Vancouver School of Decorative and Applied Arts, Volume 2, June 1927, p. 23.

104. "Accepts Post as Painting Teacher", *Sun* (Vancouver), July 31, 1926.

105. Council Minutes, Ontario College of Art, September 22, 1926. In the Archives of the Ontario College of Art.

106. William Wylie Thom; *The Fine Arts in Vancouver, 1886-1930*, M.A. thesis prepared for the University of British Columbia, April 1969 (unpublished), pp. 90-91.

107. *Prospectus of the School of Decorative and Applied Arts, 1925-26*. In the Archives of the Emily Carr College of Art, Vancouver.

108. William Wylie Thom; *The Fine Arts in Vancouver, 1886-1930*, pp. 81-100.

109. Stephen Cummings: *A Selective Chronology: Vancouver School of Decorative and Applied Arts*. Emily Carr College of Art, April 1978.

110. The artist to Eric Brown, January 6, 1927. In the collection of the Archives of The National Gallery of Canada.

111. The artist to Dr. A.D.A. Mason, January 28, 1928. In the collection of the Archives of the McMichael Canadian Collection, Kleinburg.

112. R. Ann Pollock; *Jock (J.W.G.) Macdonald*, The National Gallery of Canada, (Ottawa) 1969-70.

113. The artist to Maud Varley, September 12, 1926.

114. The artist to Arthur Lismer, incomplete and undated (February 1928). In the collection of the Archives of the McMichael Canadian Collection, Kleinburg.

115. Charles C. Hill; *John Vanderpant: Photographs*, The National Gallery of Canada (Ottawa) 1976, p. 17.

116. Carina Shelly, Vanderpant's daughter, in conversation with Christopher Varley, March 14, 1981.

117. Vanderpant was listed as one of the "Directors" of the B.C.A.L. in 1924-25. H. Mortimer-Lamb was not a member. *The B.C. Art League: List of Members, September 1924 to September 1925*. Courtesy of the Library of the Vancouver Art Gallery.

118. Carina Shelly in conversation with Christopher Varley, March 14, 1981.

119. Maud Varley to Eric Brown, undated (c. July 22, 1927). In the Archives of The National Gallery of Canada.

120. See: R. Ann Pollock; *Jock (J.W.G.) Macdonald*.
In a letter of 1932, Macdonald makes it clear that he visited Garibaldi Park only *twice* between 1926 and the summer of 1932. As Varley accompanied him on these trips, the letter suggests that Varley himself only visited Garibaldi twice (in 1927 and 1929) before making a third securely documented trip to the Park in 1934.
J.W.G. Macdonald to H.O. McCurry, November 23, 1932. In the Archives of The National Gallery of Canada.

121. Maud Varley to Eric Brown, undated (c. July 22, 1927).

122. The artist to Arthur Lismer, incomplete and undated (February 1928).

123. J.W.G. Macdonald to H.O. McCurry, September 7, 1938. In the Archives of The National Gallery of Canada.

124. In December 1927, he displayed a "Group of Rocky Mountain Sketches" at The National Gallery of Canada in an exhibition that later travelled. See: *Exhibition of Candian West Coast Art: Native and Modern*, The National Gallery of Canada, December 1927.

125. The artist to Dr. A.D.A. Mason, January 28, 1928; to Arthur Lismer, incomplete and undated (February 1928). Both letters are in the collection of the Archives of the McMichael Canadian Collection, Kleinburg.

126. The artist expressed this belief shortly after visiting Calgary in 1924. "From now on I want to paint mountains—It's easier too to sell mountains than to barter for portraits". The artist to Maud Varley, April 13, 1924.

89. *Portrait de Chester D. Massey*, 1920 (Collection de Hart House, Université de Toronto).

   Portrait de Sir George Parkin, 1921 (Collection de la Galerie nationale du Canada). Parkin était le beau-père de Vincent Massey.

90. Lettre de l'artiste à Maud Varley, non datée (fin mars 1924).

91. "Sees Vision of Golden Age of Expression on the Horizon", *The Journal* (Edmonton), le 27 mars 1924.

92. Stansfield; "Portraits at the O.S.A.", page 239.

93. James Varley et Dorothy Sewell, fils et fille de l'artiste, lors d'une conversation enregistrée avec Peter Varley, mai 1970. Enregistrement propriété de Peter Varley.

94. Roger Boulet, dans une conversation avec Christopher Varley, le 12 mars 1981.

95. Housser; *A Canadian Art Movement*, page 196.

96. Lettre de l'artiste à Maud Varley, le 13 avril 1924.

97. "Some notes on F.H. Varley and the O.C.A.", compilées par Hunter Bishop et incluses dans une lettre à Christopher Varley, le 31 janvier 1981.

98. Procès-verbal du conseil, Ontario College of Art, le 2 octobre 1925. Aux archives de l'Ontario College of Art.

99. *1926-27 Prospectus*, Ontario College of Art, et procès-verbal mentionné dans la note 98.

100. *Students Annual*, Ontario College of Art, mai 1927. Aux archives de l'Ontario College of Art.

101. Les commentaires de l'artiste qui peuvent être documentés ont tous été formulés après la dissolution du Groupe des Sept. Il ne "comprenait" pas les toiles abstraites de Harris, et trouvait son style artistique "froid", même s'il le jugeait quelquefois beau (l'artiste, dans une conversation enregistrée avec Lawrence Sabbath, en septembre 1960). Le 6 juin 1936, il écrivit une lettre à H. Mortimer-Lamb, dans laquelle il parle de Harris et de A.Y. Jackson: "Il me semble que ce pauvre (Jackson) s'apitoie sur son sort, parce que la plus grande implication de Lawren, ou son absorption dans la théosophie ont réussi à lui attirer un petit groupe de jeunes admirateurs si myopes dans leur adulation qu'ils n'ont même pas vu notre costaud ami A.Y.... Les esquisses [de Jackson] étaient très jolies, mais il les a tracées des centaines de fois et à peint même ses toiles comme si elles n'étaient que des agrandissements de ses esquisses, et rien de plus—Il frôle de près la médiocrité, en ce moment." (Archives de la McMichael Canadian Collection, à Kleinburg).

   L'amitié de Varley pour Lismer se dissout aussi au cours des années, en partie parce que l'épouse de Lismer n'approuvait pas la conduite de Varley (Marjorie Bridges à Christopher Varley, le 3 décembre 1980), en partie parce que Varley croyait que Lismer parlait trop et ne peignait pas assez. Aux environs de mai 1940, l'artiste écrivit: "Arthur Lismer, ce fichu idiot, se promène d'un bord à l'autre du pays en disant aux artistes de quitter leurs tours d'ivoire et de vivre la vie de tous les jours, en illustrant les combats de la démocratie—De telles bêtises ont toutefois leur contrepartie au cours d'un énoncé prononcé dans le Studio d'avril—et qui nous *met en garde* de telles choses [R.O. Dunlop: "The Need for Permanent Values in the Art of Our Time", *The Studio*, volume 119, numéro 565, avril 1940]—Telle lecture m'a remonté le moral et je crois

profondément que, malgré les embûches de notre temps, nous faisons face à quelque chose d'universel et non d'historique—Si ce pauvre [Lismer] avait été un plus grand artiste—il aurait continué de peindre au lieu de parler pour rien et de dire aux autres ce qu'ils ont à faire—Je l'ai rencontré quelques fois ici, à Ottawa—mais il semble avoir peur que je le corrompe—Il ne pourrait pas être corrompu—il est trop centré sur lui-même, trop inaccessible. Je crois que son seul chagrin dans la vie est de ne pas réussir à franchir les murs derrière lesquels il s'est emprisonné."

   Lettre de l'artiste à Vera Weatherbie, inachevée et non datée (vers mai 1940), aux archives de l'Edmonton Art Gallery.

102. A.H. Munsell, *A Color Notation*, Munsell Color Company, Inc. (Baltimore) 1961, page 34.

103. F.H. Varley; "Room 27 Speaking", *The Paint Box*, Vancouver School of Decorative and Applied Arts, volume 2, juin 1927, page 23.

104. "Accepts Post as Painting Teacher", le *Sun* (Vancouver), 1926.

105. Procès-verbal du conseil, Ontario College of Art, le 22 septembre 1926. Aux archives de l'Ontario College of Art.

106. William Wylie Thom; *The Fine Arts in Vancouver, 1886-1930*, thèse de Maîtrise rédigée pour l'Université de la Colombie-Britannique, avril 1969 (inédit), pages 90-91.

107. *Prospectus of the School of Decorative and Applied Arts, 1925-26*. Aux archives de l'Emily Carr College of Art, Vancouver.

108. William Wylie Thom; *The Fine Arts of Vancouver, 1886-1930*, pages 81-100.

109. Stephen Cummings; *A Selective Chronology: Vancouver School of Decorative and Applied Arts*. Emily Carr College of Art, avril 1978.

110. Lettre de l'artiste à Eric Brown, le 6 janvier 1927. Collection des archives de la Galerie nationale du Canada.

111. Lettre de l'artiste au Dr. A.D.A. Mason, le 28 janvier 1928. Collection des archives de la McMichael Canadian Collection, Kleinburg.

112. R. Ann Pollock; *Jock (J.W.G.) Macdonald*, Galerie nationale du Canada (Ottawa), 1969-70.

113. Lettre de l'artiste à Maud Varley, le 12 septembre 1926.

114. Lettre de l'artiste à Arthur Lismer, inachevée et non datée (février 1928). Collection des archives de la McMichael Canadian Collection, Kleinburg.

115. Charles C. Hill; *John Vanderpant: Photographs*, Galerie nationale du Canada (Ottawa), 1976, page 17.

116. Carina Shelly, fille de Vanderpant, dans une conversation avec Christopher Varley, le 14 mars 1981.

117. Vanderpant était inscrit comme un des "directeurs" du B.C.A.L., en 1924-25. H. Mortimer-Lamb n'était pas membre. *The B.C. Art League: List of Members, September, 1924 to September 1925*. Renseignements fournis par la Bibliothèque de la Vancouver Art Gallery.

118. Carina Shelly, dans une conversation avec Christopher Varley, le 14 mars 1981.

119. Lettre de Maud Varley à Eric Brown, non datée (vers le 22 juillet 1927). Aux archives de la Galerie nationale du Canada.

127. The artist to Eric Brown, February 18, 1928. In the Archives of The National Gallery of Canada.

128. "Junk Clutters Art Gallery Walls While Real Paintings Are Hidden in Cellar: Serious Responsibility Accepted by Council of Toronto Art Gallery in Permitting Exhibition such as That Now on View", *Telegram* (Toronto). Undated clipping in the Archives of the Art Gallery of Ontario.

129. Fred Jacob; "In the Art Galleries", *Mail and Empire*, (Toronto) February 18, 1928.

130. Augustus Bridle; "Group of Seven Display Their Annual Symbolisms", *Daily Star* (Toronto), February 8, 1928.

131. The artist wrote of Roerich at this time: "In many ways...I made a good move when I came West, for the country is full of variety. Georgian Bay, Lake Superior—then Lake Superior on a bigger scale—island forms as romantic as Wagner music or a Roerick [sic] canvas—(I've fallen out of love with him—I think it's too easy) & then chunks of mountains..."
The artist to Arthur Lismer, incomplete and undated (February 1928).

   Interest in Roerich's paintings was fairly widespread at the time, and his influence is clearly evident in Bess Housser's *Above Moraine Lake* of 1927-28. (Bertram Brooker (ed); *Yearbook of The Arts in Canada, 1928-1929*, The MacMillan Company of Canada Ltd., (Toronto) 1929, p. 242, plate XVIII.) For examples of Roerich's work see: *Nicholas Roerich: 1874-1974*, The Nicholas Roerich Museum, (New York) 1974.

132. Text "of a talk given to the students with regard to Mr. Varley" enclosed with a letter from Fred Amess to Eric Brown, December 14, 1955. In the Archives of The National Gallery of Canada.

133. A. H. Munsell; *A Color Notation*, p. 35.

134. Ibid., pp. 37-39.

135. Ibid., p. 34.

136. See: Faber Birren (ed); *The Color Primer: A Basic Treatise on The Color System of Wilhelm Ostwald*, Van Nostrand Reinhold Company, (New York) 1969.

137. Sherman E. Lee; *Chinese Landscape Painting*, The Cleveland Museum of Art, (undated) p. 4.

138. Donald W. Buchanan; "The Paintings and Drawings of F.H. Varley", *Canadian Art*, Volume 7, Number 1, October 1949, p. 3.

139. The artist described *Complementaries* of about 1931 (fig. 209) as "based on almost the science of colour....a problem of light....I never touched the canvas without recognizing what film of colour [I was] looking through."
The artist in tape recorded conversation with Lawrence Sabbath, September 1960.

140. See: Chogyam Trungpa; *Cutting Through Spiritual Materialism*, Shambhala Press, (Boulder, Colorado) 1973, pp. 224-231.

141. Ibid. pp. 228-229.

142. Donald W. Buchanan; "The Paintings and Drawings of F.H. Varley", p. 3.

143. Ibid.

144. The artist in tape recorded conversation with Lawrence Sabbath, September 1960.

145. The artist to Vera Weatherbie, January 7, 1941. In the Archives of The Edmonton Art Gallery.

146. The artist to Vera Weatherbie, February 26 (1937). In the Archives of The Edmonton Art Gallery.

147. The artist to Vera Mortimer-Lamb (Vera Weatherbie was now married to H. Mortimer-Lamb), undated (1944). In the Archives of The Edmonton Art Gallery.

148. "Results Are Given Willingdon Arts 1929 Competitions: Great Success Attended Second Year of Contests With Many Entries In All Classes", *Morning Journal*, (Ottawa) May 3, 1930. Varley's painting is fig. 102.

149. *Catalogue of the Fifty-Second Exhibition of The Royal Canadian Academy of Arts, Art Association of Montreal*, November 19 to December 20, 1931. Varley exhibited *Portrait Study*.
See: Jehanne Bietry Salinger; "Comment on Art: The Group of Seven", *The Canadian Forum*, Volume 12, Number 136, January 1932, p. 143.

150. January 8-February 3, 1930. Elizabeth de Fato, Librarian, Seattle Art Museum, to Christopher Varley, November 18, 1980. See: "Northwest Art", *The Town Crier*, (Seattle) January 25, 1930, p. 12.

209. *Complementaries*, c / v. 1931
oil on canvas / huile sur toile, 101 x 85.1 cm
Art Gallery of Ontario, Toronto, Bequest of / Legs de / Charles S. Band, 1970
(Not included in the exhibition/Oeuvre qui ne figure pas dans cette exposition)

120. Voir. R. Ann Pollock; *Jock (J.W.G.) Macdonald*.

Dans une lettre écrite en 1932, Macdonald indique claire-ment qu'il n'a visité le Parc Garibaldi que *deux fois*, entre 1926 et l'été de 1932. Puisque Varley l'accompagnait lors de ces voyages, la lettre semble démontrer que Varley lui-même n'aurait visité Garibaldi que deux fois (en 1927 et en 1929) avant un troisième voyage, celui-ci très bien documenté, en 1934.

Lettre de J.W.G. Macdonald à H.O. McCurry, le 23 novembre 1932. Archives de la Galerie nationale du Canada.

121. Lettre de Maud Varley à Eric Brown, non datée (vers le 22 juillet 1927).

122. Lettre de l'artiste à Arthur Lismer, inachevée et non datée (février 1928).

123. Lettre de J.W.G. Macdonald à H.O. McCurry, le 7 septembre 1938. Aux archives de la Galerie nationale du Canada.

124. En décembre 1927, il présenta "A Group of Rocky Moun-tain Sketches" à la Galerie nationale du Canada, au cours d'une exposition qui devint par la suite itinérante. Voir: *Exhibition of Canadian West Coast Art; Native and Mod-ern*, Galerie nationale du Canada, décembre 1927.

125. Lettre de l'artiste au Dr. A.D.A. Mason, le 28 janvier 1928; lettre à Arthur Lismer, inachevée et non datée (février 1928). Les deux lettres font partie de la collection des archives de la McMichael Canadian Collection, Kleinburg.

126. L'artiste a exprimé ce souhait peu après avoir visité la ville de Calgary, en 1924. "A partir d'aujourd'hui, je veux pein-dre des montagnes—De plus, il est plus facile de vendre des montagnes que de faire le commerce des portraits". Lettre de l'artiste à Maud Varley, le 13 avril 1924.

127. Lettre de l'artiste à Eric Brown, le 18 février 1928. Archives de la Galerie nationale du Canada.

128. "Les murs des galeries d'art sont tapissés de rebuts alors que les vraies peintures sont reléguées aux caveaux: c'est une grave responsabilité que prend sur ses épaules le conseil de la Toronto Art Gallery, en permettant l'exposi-tion de ce qui est actuellement en montre". *Telegram* (Toronto), coupure de presse non datée aux archives du Musée des Beaux-Arts de l'Ontario.

129. Fred Jacob: "In the Art Galleries", *Mail and Empire*, (Toronto) le 18 février 1928.

130. Augustus Bridle: "Group of Seven Display their Annual Symbolisms", *Daily Star* (Toronto), le 8 février 1928.

131. A cette époque, l'artiste écrivit au sujet de Roerich: "De bien des façons, j'ai fait un bon coup en déménageant dans l'ouest, car ce pays est plein de variété. La baie Georgienne, le lac Supérieur—puis le lac Supérieur sur une plus grand échelle—des formes d'îles aussi romantiques que la musique de Wagner ou une toile de Roerick [sic]—(Je ne suis plus en amour avec lui—je crois que c'est trop facile) et puis, des massifs de montagnes..."
Lettre de l'artiste à Arthur Lismer, inachevée et non datée (février 1928).

Il existait pas mal d'intérêt pour la peinture de Roerich à l'époque, et son influence est très nette dans l'oeuvre de Bess Housser, *Above Moraine Lake*, 1927-28. (Bertram Brooker, éd.; *Yearbook of the Arts in Canada, 1928-1929*, The MacMillan Company of Canada Ltd., (Toronto) 1929, page 242, gravure XVIII.) Pour d'autres illustrations de l'oeuvre de Roerich, voir: *Nicholas Roerich: 1874-1974*, Nicholas Roerich Museum (New York), 1974.

132. Texte d'une "allocution sur M. Varley prononcée devant des étudiants", et joint à une lettre de Fred Amess adressée à Eric Brown, le 14 décembre 1955. Aux archives de la Galerie nationale du Canada.

133. A.H. Munsell; *A Color Notation*, page 35.

134. Ibid., pages 37-39.

135. Ibid., page 34.

136. Voir: Faber Birren (éd.); *The Color Primer; A Basic Trea-tise on the Color Systems of Wilhelm Ostwald*, Van Nos-trand Reinhold Company, (New York) 1969.

137. Sherman E. Lee; *Chinese Landscape Painting*, The Cleve-land Museum of Art, (non daté) page 4.

138. Donald W. Buchanan; "The Paintings and Drawings of F.H. Varley", *Canadian Art*, volume 7, numéro 1, octobre 1949, page 3.

139. L'artiste a décrit *Complementaries* d'environ 1931 (fig. 209) comme étant "presque basé sur la science de la couleur...un problème de lumière....Je n'ai jamais touché à une toile sans savoir à travers quel écran de couleur [je] regardais."
L'artiste dans une conversation enregistrée avec Lawrence Sabbath en septembre 1960.

140. Voir: Chogyam Trungpa; *Cutting Through Spiritual Materialism*, Shambhala Press, (Boulder, Colorado) 1973, pages 224-231.

141. Ibid., pages 228-229.

142. Donald W. Buchanan; "The Paintings and Drawings of F.H. Varley", page 3.

143. Ibid.

144. L'artiste, dans une conversation enregistrée avec Law-rence Sabbath en septembre 1960.

145. Lettre de l'artiste à Vera Weatherbie, le 7 janvier 1941. Collection des archives de l'Edmonton Art Gallery.

146. Lettre de l'artiste à Vera Weatherbie, le 26 février (1937). Collection des archives de l'Edmonton Art Gallery.

147. Lettre l'artiste à Vera Mortimer-Lamb (Vera Weatherbie était maintenant mariée avec H. Mortimer-Lamb), non datée (1944). Collection des archives de l'Edmonton Art Gallery.

148. "Les résultats des compétitions artistiques Willingdon de 1929 sont connus: Deuxième année du concours remporte un énorme succès et ce, dans toutes les catégories", *Morn-ing Journal* (Ottawa), le 3 mai 1930. (La peinture de Varley est fig. 102).

149. *Catalogue of the Fifty-Second Exhibition of the Royal Canadian Academy of Arts, Art Association of Montreal*, du 19 novembre au 20 décembre 1931. Varley exposa *Portrait Study*.

Voir: Jehanne Bietry Salinger; "Comment on Art: The Group of Seven", *The Canadian Forum*, volume 12, numéro 136, janvier 1932, page 143.

150. 8 janvier-3 février 1930. Lettre d'Elisabeth De Fato, bibli-othécaire, Seattle Art Museum, à Christopher Varley, le 18 novembre 1980.
Voir: "Northwest Art", *The Town Crier* (Seattle), le 25 janvier 1930, page 12.

151. *Available Exhibitions*, The Western Association of Art Museum Directors, Bulletin No. 2, (1930-31), June 10, 1930. In the Archives of the Los Angeles County Museum of Art.
Varley requested The National Gallery to send *Vera* (Fig. 102) to him for inclusion in the proposed tour. The artist to Eric Brown, July 8, 1930. In the Archives of The National Gallery of Canada.

152. "Highly recommended by Mr. Hatch". In *Available Exhibitions*, The Western Association of Art Museum Directors.

153. E. Spencer Macky, Executive Director, San Francisco Art Association, to John Davis Hatch, Jr., June 30, 1930. In the Archives of The Fine Arts Museums of San Francisco.

154. Evelyn Walbeland (?), Secretary, Art Institute of Seattle, to E. Spencer Macky, August 11, 1930. In the Archives of The Fine Arts Museums of San Francisco.

155. "Varley Called Great Asset To Art Institute: Acquisition of Canadian Painter Draws Attention to Seattle, John D. Hatch, Jr., Points Out", *Times* (Seattle) July 11, 1930.

156. *Exhibition by Mr. F. H. Varley* (checklist), Vancouver Art Gallery, December 1-12, 1932.

157. The artist to L.L. FitzGerald, September 25, 1934. In the Archives of the FitzGerald Centre, University of Manitoba.

158. J.W.G. Macdonald to H.O. McCurry, June 14, 1932. In the Archives of The National Gallery of Canada.

159. Quoted in: Donald W. Buchanan; "The Paintings and Drawings of F.H. Varley", p. 3.

160. *The Future of The School of Decorative and Applied Arts*, report of a "special committee" to the Vancouver School Board, March 8, 1933. In the Archives of Board of School Trustees of School District No. 39 (Vancouver).

161. See protest sent to Vancouver School Board in mid-March, 1933, a copy of which was enclosed in a letter from the artist to Eric Brown, April 5, 1933. In the Archives of The National Gallery of Canada.

162. Charles C. Hill; *Canadian Painting in The Thirties*, The National Gallery of Canada, (Ottawa) 1975, p. 57.

163. *Prospectus 1933-1934*, British Columbia College of Arts Ltd.

164. J.W.G. Macdonald and F.H. Varley to Mr. R.S. Lennie, K.C., June 29, 1933.

165. The artist to Vera Mortimer-Lamb (formerly Weatherbie), undated (c. 1944). In the Archives of The Edmonton Art Gallery.

166. "In the Domain of Art: A Weekly Causerie of Interest to Art Lovers", *Province* (Vancouver), August 23, 1933.

167. *Prospectus*, 1933-34.

168. The artist to Eric Brown, October 27, 1933. In the Archives of The National Gallery of Canada.

169. *Prospectus*, 1933-34.

170. The artist to H.O. McCurry, April 16, 1934. In the Archives of The National Gallery of Canada.

171. H.E. Torey; "Where East Meets West", *Saturday Night*, April 21, 1934.
See also: The artist to H.O. McCurry, April 16, 1934.

172. The Japanese Vice-Consul in Vancouver visited the B.C.C.A. on November 24, 1933. Guest book, B.C.C.A., in the Archives of The Edmonton Art Gallery.

173. The artist to L.L. FitzGerald, September 25, 1934. In the Archives of the FitzGerald Centre of the University of Manitoba.

174. J.W.G. Macdonald to H.O. McCurry, December 29, 1936. In the Archives of The National Gallery of Canada.

175. John Vanderpant to H.O. McCurry, March 21, 1936. In the Archives of The National Gallery of Canada.

176. John Avison in conversation with Christopher Varley, March 15, 1974.

177. The artist to Eric Brown, December 7, 1935. In the Archives of The National Gallery of Canada.

178. The artist to H. Mortimer-Lamb, January 1, 1936. In the Archives of the McMichael Canadian Collection, Kleinburg.

179. Eric Brown to the artist, March 21, 1936. In the Archives of The National Gallery of Canada.

180. The artist to John Vanderpant, Easter Monday (April 13, 1936). In the possession of Mrs. Anna Ackroyd.

181. H.O. McCurry to John Vanderpant, March 13, 1936.
Eric Brown to John Vanderpant, March 25, 1936.
Both letters are in the Archives of The National Gallery of Canada.

182. The artist to John Varley, his son, Good Friday (April 10, 1936).

183. The artist to John Varley, February 15, 1938:
Southam "always seems scared of me. 'Fraid I'll upset his C. Science serenity. . . . [The portrait is of a] Thick-lipped fellow—forehead too stupidly solid and a tiny nose pressed on his face—immaculately dressed—never crosses his legs because of creasing his pants—A peculiar mixture of the heavy breathing bulldog made uneasy in his higher range of colour vibrations imposed on him and feeling afraid that he will lose his grasp on the All-good if he does not keep constant vigil."

184. The artist to H. Mortimer-Lamb, June 6, 1936. In the Archives of the McMichael Canadian Collection, Kleinburg.

185. The artist to John Varley, Good Friday (April 10, 1936). Varley says that he has no interest in a job in Hamilton that he has been offered.
Eric Brown to H.B. Walker, President, Art Association of Montreal, May 4, 1936. In the Archives of The National Gallery of Canada.
A letter of support for an application that Varley made to run the school of the Art Association.

186. Eric Brown to F.H. Varley, June 26, 1936. In the Archives of The National Gallery of Canada.

187. The artist to John Varley, February 15, 1937.

188. The artist to John Vanderpant, January 13, 1937 (mailed a month later). In the possession of Mrs. Anna Ackroyd.

189. The artist to Vera Weatherbie, January 18, 1936. In the Archives of The Edmonton Art Gallery.

190. The artist quoted in a letter from Philip Surrey to John Vanderpant, April 23, 1937. Photocopy in the possession of Peter Varley.

151. *Available Exhibitions*, The Western Association of Art Museum Directors, bulletin no. 2, (1930-31), le 10 juin 1931. Aux archives du Los Angeles County Museum of Art. Varley demanda à la Galerie nationale de lui faire parvenir *Vera* (fig. 102) afin d'inclure l'oeuvre dans sa tournée. Lettre de l'artiste à Eric Brown, le 8 juillet 1930. Aux archives de la Galerie nationale du Canada.

152. "Hautement recommandé par M. Hatch". Dans *Available Exhibitions*, The Western Association of Art Museum Directors.

153. Lettre de E. Spencer Macky, directeur exécutif de la San Francisco Art Association, à John Davis Hatch, Jr., le 30 juin 1930. Aux archives des Fine Art Museums of San Francisco.

154. Lettre d'Evelyn Walbeland (?), secrétaire, Art Institute of Seattle, à E. Spencer Macky, le 11 août 1930. Aux archives des Fine Arts Museums of San Francisco.

155. "Varley qualifié de contribution importante à l'Art Institute: acquisition d'oeuvres du peintre canadien attire l'attention vers Seattle, déclare John D. Hatch", (Seattle) *Times*, le 11 juillet 1930.

156. *Exposition de M. F.H. Varley* (catalogue), Vancouver Art Gallery, du 1 au 12 décembre 1932.

157. Lettre de l'artiste à L.L. FitzGerald, le 25 septembre 1934. Aux Archives du Centre FitzGerald de l'Université du Manitoba.

158. J.W.G. Macdonald à H.O. McCurry, le 14 juin 1932. Aux archives de la Galerie nationale du Canada.

159. Cité dans: Donald W. Buchanan; "The Paintings and Drawings of F.H. Varley", page 3.

160. *The Future of the School of Decorative and Applied Arts*, rapport d'un "comité spécial" remis à la Commission scolaire de Vancouver, le 8 mars 1933. Aux archives du Conseil des commissaires d'école du district scolaire no. 39 (Vancouver).

161. Voir: protestation envoyée à la Commission scolaire de Vancouver à la mi-mars 1933, et dont une copie a été incluse dans une lettre de l'artiste à Eric Brown, le 5 avril 1933. Aux Archives de la Galerie nationale du Canada.

162. Charles C. Hill; *Canadian Painting in The Thirties*, Galerie nationale du Canada (Ottawa) 1975, page 57.

163. *Prospectus 1933-1934*, British Columbia College of Arts Ltd.

164. Lettre de J.W.G. Macdonald et F.H. Varley à M. R.S. Lennie, K.C., le 29 juin 1933.

165. Lettre de l'artiste à Vera Mortimer-Lamb (née Weatherbie), non datée (vers 1944). Aux archives de l'Edmonton Art Gallery.

166. "In the Domaine of Art: A Weekly Causerie of Interest to Art Lovers", (Vancouver) *Province*, le 23 août 1933.

167. *Prospectus*, 1933-1934.

168. Lettre de l'artiste à Eric Brown, le 27 octobre 1933. Aux archives de la Galerie nationale du Canada.

169. *Prospectus*, 1933-1934.

170. Lettre de l'artiste à H.O. McCurry, le 16 avril 1934. Aux archives de la Galerie nationale du Canada.

171. H.E. Torey; "Where East meets West", *Saturday Night*, 21 avril 1934.

Voir aussi: Lettre de l'artiste à H.O. McCurry, le 16 avril 1934.

172. Le vice-consul du Japon à Vancouver visita le B.C.C.A. le 24 novembre 1933. Livre des invités, B.C.C.A., aux archives de l'Edmonton Art Gallery.

173. Lettre de l'artiste à L.L. FitzGerald, le 25 septembre 1934. Aux archives du Centre FitzGerald de l'Université du Manitoba.

174. Lettre de J.W.G. Macdonald à H.O. McCurry, le 29 décembre 1936. Aux archives de la Galerie nationale du Canada.

175. Lettre de John Vanderpant à H.O. McCurry, le 21 mars 1936. Aux archives de la Galerie nationale du Canada.

176. John Avison, dans une conversation avec Christopher Varley, le 15 mars 1974.

177. Lettre de l'artiste à Eric Brown, le 7 décembre 1935. Aux archives de la Galerie nationale du Canada.

178. Lettre de l'artiste à H. Mortimer-Lamb, le 1 janvier 1936. Aux archives de la McMichael Canadian Collection, Kleinburg.

179. Lettre d'Eric Brown à l'artiste, le 21 mars 1936. Aux archives de la Galerie nationale du Canada.

180. Lettre de l'artiste à John Vanderpant, le lundi de Pâques (le 13 avril 1936). Propriété de Mme Anna Ackroyd.

181. Lettre de H.O. McCurry à John Vanderpant, le 13 mars 1936. Lettre de Eric Brown à John Vanderpant, le 25 mars 1936. Ces deux lettres déposées aux archives de la Galerie nationale du Canada.

182. Lettre de l'artiste à John Varley, son fils, le Vendredi Saint (le 10 avril 1936).

183. Lettre de l'artiste à John Varley, le 15 février 1938: Southam "semble toujours avoir peur de moi. Peur que je porte atteinte à sa sérénité de C. Science.... [Le portrait représente] un personnage aux lèvres épaisses—un front trop stupidement solide et un petit nez pressé contre son visage—d'un habillement impeccable—ne croisant jamais la jambe de peur de froisser son pantalon—un mélange bizarre de bulldog à la respiration lourde, mal à l'aise face à cette large gamme de vibrations de couleur qu'on lui impose, et craignant de perdre son emprise sur le 'tout-bon' s'il ne peut mener une vigile constante."

184. Lettre de l'artiste à H. Mortimer-Lamb, le 6 juin 1936. Aux archives de la McMichael Canadian Collection, Kleinburg.

185. Lettre de l'artiste à John Varley, le Vendredi Saint (le 10 avril 1936). Varley déclare qu'il ne s'intéresse pas à l'emploi qui lui a été proposé, à Hamilton.

Lettre d'Eric Brown à H.B. Walker, Président, l'Art Association of Montreal, le 4 mai 1936. Aux archives de la Galerie nationale du Canada.

Une lettre de recommandation visant à appuyer une demande de Varley, qui voudrait devenir directeur de l'école de l'Art Association.

186. Lettre d'Eric Brown à F.H. Varley, le 26 juin 1936. Aux archives de la Galerie nationale du Canada.

187. Lettre de l'artiste à John Varley, le 15 février 1937.

191. The artist to Margaret Williams, April 12, 1937. Photocopy in the Archives of The Edmonton Art Gallery.

192. Ibid.

193. Charles Camsell, Commissioner of North West Territories, to the artist, June 8, 1937. Public Archives of Canada.

194. Deputy Minister, Department of Mines and Resources, to the artist, July 5, 1938. Public Archives of Canada.

195. The artist to John Varley, July 9, 1938.
Varley said that he did not have "a cent" twenty-four hours before.

196. The artist to H. Mortimer-Lamb, July 13, 1938. Photocopy in the possession of Peter Varley.

197. The artist to Elizabeth Gowling, undated (late August). Photocopy in the Archives of The Edmonton Art Gallery.

198. The artist to H. Mortimer-Lamb, December 29, 1940. In the Archives of the McMichael Canadian Collection, Kleinburg.

199. The artist to Milton Blackstone, December 20, 1939.

200. The artist to Vera Weatherbie, undated (October 1939). In the Archives of The Edmonton Art Gallery.

201. The artist to Vera Weatherbie, January 7, 1941. In the Archives of The Edmonton Art Gallery.

202. The artist in tape recorded conversation with Lawrence Sabbath, September, 1960.

203. The artist to H. Mortimer-Lamb, May 10, 1940. In the Archives of the McMichael Canadian Collection, Kleinburg.

204. The artist to Vera Weatherbie, undated (summer, 1940). In the Archives of The Edmonton Art Gallery.

205. The artist to Vera Weatherbie, January 7, 1941. In the Archives of The Edmonton Art Gallery.

206. The artist to H. Mortimer-Lamb, December 29, 1940. In the Archives of the McMichael Canadian Collection, Kleinburg.

207. The artist to H. Mortimer-Lamb, December 29, 1940. In the Archives of the McMichael Canadian Collection, Kleinburg.
Marian Roberts to Christopher Varley, undated (received December 18, 1978). In the Archives of the Gallery/Stratford.

208. The artist to H.O. McCurry, October 6, 1941. In the Archives of The National Gallery of Canada.

209. Louis Muhlstock to H.O. McCurry, December 5, 1941. In the Archives of The National Gallery of Canada.

210. Ibid.

211. Ibid.

212. H. O. McCurry to Louis Muhlstock, December 12, 1941. In the Archives of The National Gallery of Canada.

213. Louis Muhlstock to Kathleen Fenwick, January 30, 1942. In the Archives of The National Gallery of Canada.

214. A.Y. Jackson to Martin Baldwin, April 21 (1942). Martin Baldwin to A.Y. Jackson, April 23, 1942. In the Archives of The Art Gallery of Ontario.

215. Louis Muhlstock in conversation with Christopher Varley, June 6, 1979.

216. The artist to Milton Blackstone, September 11, 1939; to Vera Weatherbie, November 8, 1939. The latter letter is in the Archives of The Edmonton Art Gallery.

217. A. Y. Jackson; "A Record of Total War", *Canadian Art*, Volume 3, Number 4, Summer, 1946, p. 151.

218. H.O. McCurry to Louis Muhlstock, May 7, 1942. In the Archives of The National Gallery of Canada.

219. The artist to Jim Varley, his son, August 20, 1942.

220. Lord Beaverbrook to the artist, October 19, 1942. Vincent Massey to the artist, January 28, 1943. In the Archives of The National Gallery of Canada.

221. Leonard Brooks in tape recorded conversation with Peter Varley, April 1969. Recording in the possession of Peter Varley.

222. The artist to H.O. McCurry, March 17, 1943. In the Archives of The National Gallery of Canada.

223. Donald W. Buchanan: "The Paintings and Drawings of F.H. Varley", p. 4.

224. The artist to Vera Mortimer-Lamb, undated (November 1944). In the Archives of The Edmonton Art Gallery.

225. The artist to Vera and H. Mortimer-Lamb, November 5, 1944. In the Archives of The Edmonton Art Gallery.

226. The artist to Vera Mortimer-Lamb, undated (early 1946). In the Archives of The Edmonton Art Gallery.

227. The artist to Vera Mortimer-Lamb, March 18, 1944. In the Archives of The Edmonton Art Gallery.

228. The artist to Jess Crosby, June 25, 1948.

229. The artist to Jess Crosby, November 19, 1949.

230. Tom Daly, producer of "Varley", to Christopher Varley, December 30, 1980.

231. *F.H. Varley: Paintings: 1915-1954*, Art Gallery of Toronto, October-November, 1954.

232. The artist in tape recorded conversation with Lawrence Sabbath, September 1960.

233. The artist to Jim Varley, December 1955.

234. Henri Masson in tape recorded conversation with Peter Varley, May 1969. Recording in the possession of Peter Varley.

235. Citation read by Peter M. Dwyer, Assistant Director (Arts), The Canada Council, Presentation of The Canada Council Medals, March 31, 1964. In the Archives of The Canada Council.

188. Lettre de l'artiste à John Vanderpant, le 13 janvier 1937 (postée un mois plus tard). Propriété de Mme Anna Ackroyd.

189. Lettre de l'artiste à Vera Weatherbie, le 18 janvier 1936. Aux archives de l'Edmonton Art Gallery.

190. L'artiste, cité dans une lettre de Philip Surrey à John Vanderpant, le 23 avril 1937. Photocopie propriété de Peter Varley.

191. Lettre de l'artiste à Margaret Williams, le 12 avril 1937. Photocopie aux archives de l'Edmonton Art Gallery.

192. Ibid.

193. Lettre de Charles Camsell, Commissaire des Territoires du Nord-Ouest, à l'artiste, le 8 juin 1937. Archives publiques du Canada.

194. Lettre du Ministre adjoint, Ministère des Mines et Ressources, à l'artiste, le 5 juillet 1938. Archives publiques du Canada.

195. Lettre de l'artiste à John Varley, le 9 juillet 1938. Varley avait dit vingt-quatre heures auparavant qu'il n'avait pas "un cent".

196. Lettre de l'artiste à H. Mortimer-Lamb, le 13 juillet 1938. Copie propriété de Peter Varley.

197. Lettre de l'artiste à Elizabeth Gowling, non datée (fin août). Photocopie aux archives de l'Edmonton Art Gallery.

198. Lettre de l'artiste à H. Mortimer-Lamb, le 29 décembre 1940. Aux archives de la McMichael Canadian Collection, Kleinburg.

199. Lettre de l'artiste à Milton Blackstone, le 20 décembre 1939.

200. Lettre de l'artiste à Vera Weatherbie, non datée (octobre 1939). Aux archives de l'Edmonton Art Gallery.

201. Lettre de l'artiste à Vera Weatherbie, le 7 janvier 1941. Aux archives de l'Edmonton Art Gallery.

202. L'artiste, dans une conversation enregistrée avec Lawrence Sabbath, en septembre 1960.

203. Lettre de l'artiste à H. Mortimer-Lamb, le 10 mai 1940. Aux archives de la McMichael Canadian Collection, Kleinburg.

204. Lettre de l'artiste à Vera Weatherbie, non datée (été 1940). Aux archives de l'Edmonton Art Gallery.

205. Lettre de l'artiste à Vera Weatherbie, le 7 janvier 1941. Aux archives de l'Edmonton Art Gallery.

206. Lettre de l'artiste à H. Mortimer-Lamb, le 29 décembre 1940. Aux archives de la McMichael Canadian Collection, Kleinburg.

207. Lettre de l'artiste à H. Mortimer-Lamb, le 29 décembre 1940. Aux archives de la McMichael Canadian Collection, Kleinburg. Lettre de Marian Roberts à Christopher Varley, non datée (reçue le 18 décembre 1978). Aux archives de la Gallery/Stratford.

208. Lettre de l'artiste à H.O. McCurry, le 6 octobre 1941. Aux archives de la Galerie nationale du Canada.

209. Lettre de Louis Muhlstock à H.O. McCurry, le 5 décembre 1941. Aux archives de la Galerie nationale du Canada.

210. Ibid.

211. Ibid.

212. Lettre de H.O. McCurry à Louis Muhlstock, le 12 décembre 1941. Aux archives de la Galerie nationale du Canada.

213. Lettre de Louis Muhlstock à Kathleen Fenwick, le 30 janvier 1942. Aux archives de la Galerie nationale du Canada.

214. Lettre d'A.Y. Jackson à Martin Baldwin, le 21 avril (1942). Lettre de Martin Baldwin à A.Y. Jackson, le 23 avril 1942. Aux archives de l'Art Gallery of Ontario.

215. Louis Muhlstock, dans une conversation enregistrée avec Peter Varley, le 6 juin 1979.

216. Lettres de l'artiste à Milton Blackstone, le 11 septembre 1939; à Vera Weatherbie, le 8 novembre 1939. Cette dernière lettre déposée aux archives de l'Edmonton Art Gallery.

217. A.Y. Jackson; "A Record of Total War", *Canadian Art*, volume 3, numéro 4, été 1946, page 151.

218. Lettre de H.O. McCurry à Louis Muhlstock, le 7 mai 1942. Aux archives de la Galerie nationale du Canada.

219. Lettre de l'artiste à Jim Varley, son fils, le 20 août 1942.

220. Lettre de Lord Beaverbrook à l'artiste, le 19 octobre 1942. Lettre de Vincent Massey à l'artiste, le 28 janvier 1943. Aux archives de la Galerie nationale du Canada.

221. Leonard Brooks, dans une conversation enregistrée avec Peter Varley, en avril 1969. Enregistrement propriété de Peter Varley.

222. Lettre de l'artiste à H.O. McCurry, le 17 mars 1943. Aux archives de la Galerie nationale du Canada.

223. Donald W. Buchanan; "The Paintings and Drawings of F.H. Varley", page 4.

224. Lettre de l'artiste à Vera Mortimer-Lamb, non datée (novembre 1944). Aux archives de l'Edmonton Art Gallery.

225. Lettre de l'artiste à Vera et H. Mortimer-Lamb, le 5 novembre 1944. Aux archives de l'Edmonton Art Gallery.

226. Lettre de l'artiste à Vera Mortimer-Lamb, non datée (début 1946) Aux archives de l'Edmonton Art Gallery.

227. Lettre de l'artiste à Vera Mortimer-Lamb, le 18 mars 1944. Aux archives de l'Edmonton Art Gallery.

228. Lettre de l'artiste à Jess Crosby, le 25 juin 1948.

229. Lettre de l'artiste à Jess Crosby, le 19 novembre 1949.

230. Lettre de Tom Daly, réalisateur de "Varley", à Christopher Varley, le 30 décembre 1980.

231. *F. H. Varley: Paintings: 1915-1954*, Art Gallery of Toronto, octobre-novembre, 1954.

232. L'artiste, dans une conversation enregistrée avec Lawrence Sabbath, en septembre 1960.

233. Lettre de l'artiste à Jim Varley, décembre 1955.

234. Henri Masson, dans une conversation enregistrée avec Peter Varley, en mai 1969. Enregistrement propriété de Peter Varley.

235. Citation lue par Peter M. Dwyer, directeur adjoint (arts), Conseil des Arts du Canada, présentation des médailles du Conseil des Arts du Canada, le 31 mars 1964. Aux archives du Conseil des Arts du Canada.

Chronology

1881   January 2: born at Sheffield, England

1892   Enters Sheffield School of Art

1895   Gains certificate in drawing in light and shade (elementary stage); modelling (elementary stage)

1896   Gains certificate in drawing from the antique; model drawing (advanced stage); freehand drawing (advanced stage); shading from the cast (advanced stage)

1897   Gains certificate in drawing from the antique

1898   Awarded tuition fees for one year, value £9 6s. Gains certificate in drawing from the antique; drawing from life; drawing from the antique from memory

1899   Gains certificate in painting still life; painting ornament; drawing from life; drawing from the antique; drawing in light and shade; model drawing; freehand drawing

1900   Enters the Académie Royale des Beaux-Arts, Antwerp, Belgium
        Residence at Crownstreet 64, Borgerhout, near Antwerp

1901   Receives second prize in drawing from nature

1902   Receives first prize silver medal for painting from the human figure; first prize silver medal for drawing from the human figure
        Residence at Klapdorp 89, Antwerp
        Returns to Sheffield

1903-08 Living in London, working as a commercial illustrator, and making periodic visits to Sheffield
        Later claims to have illustrated for *London Magazine*, *Globe*, *Illustrated London News*, *Sphere*, *Sketch*, *Idler*, and *The Gentlewoman*. Only illustrations for *The Gentlewoman* and *Sphere* have been found at this time.

1908   Moves to Doncaster, east of Sheffield, where Maud Pinder is teaching school. Works as a railway clerk.

1909   Marries Maud Pinder and returns to Sheffield. Daughter, Dorothy, born in August. Thought to have organized outdoor sketching classes and done layouts for the *Yorkshire Post*.

1911-12 Residence at 80 Brincliffe Edge Road; Studio at 63 Norfolk Street

1912   Son, John, born in March. Departs for Canada in July. Commences work at Grip Limited in early August. Exhibits at the C.N.E. Goes to work at Rous & Mann soon after. Joins The Arts & Letters Club in November. First Toronto residence at 119 Summerhill Avenue.

1913   Residences at 22 Henry Street and 15 Cecil Street

1914   Spends October painting in Algonquin Park with Tom Thomson, A.Y. Jackson, and Arthur Lismer. Moves to 229 Oakmount Road.

1915   Moves to 112 Pacific Avenue.
        Second son, James, born in July.

1916   February: one man show at The Arts & Letters Club

1916-17 Member of the three-man Board of Examiners, Ontario College of Art (other members: F. Challener and J.E. Sampson)

1917   Varley's illustrations begin to appear in the *Canadian Courier*. Residences at 135 Windermere Avenue and in Thornhill, north of Toronto.

1918   February 7: commissioned as an honorary captain to paint for Canadian War Records. Sails to Glasgow on March 25. See text for further details.

1919   August 1: sails for Canada. Takes studio space in The Studio Building, 25 Severn Street, Toronto. December: one man show at The Arts & Letters Club. Once again a member of the three-man Board of Examiners, Ontario College of Art, for 1919-20 (other members: J.E.H. MacDonald and J.E. Sampson). Moves to 401 Carlton Street, Toronto.

1920   March 31: demobilized. May 7: first Group of Seven exhibition opens at the Toronto Art Museum. Spends late summer at Dr. MacCallum's cottage on Georgian Bay painting with Arthur Lismer.

1921   Third son, Peter, born in May.

1921-22 Member of the three-man Board of Examiners, Ontario College of Art (other members: A.Y. Jackson and H.S. Palmer)

1922   Taught summer courses for the Ontario College of Art at Meadowvale. Purchased a house at 11 Colin Avenue.

1923   Defaults on mortgage payments and loses Colin Avenue house. Spends summer with family at Bobcaygeon, north-east of Toronto.
        Assists J.E.H. MacDonald in painting murals for St. Anne's Anglican Church on Gladstone Avenue in Toronto.

1923-24 Makes some book illustrations for Ryerson Press.

1924   W.J. Phillips assists Varley in obtaining a portrait commission in Winnipeg. Varley arrives in Winnipeg in mid-January. Later goes on to Edmonton, then makes brief stop overs in Calgary, and again in Winnipeg, before returning to Toronto in late April. Residence at 66 Glenforest Road, Toronto.

1925-26 October 2: appointed to a full time teaching post at the Ontario College of Art. 1926-27 Prospectus lists him as "Instructor in drawing from the antique and drawing and painting from the draped figure." Residence at 3461 Yonge Street.

1926   July 31: Varley's acceptance of the post of instructor of drawing and painting at the Vancouver School of Decorative and Applied Arts. Arrives in the city in early September. Rents a house at 3857 Point Grey Road, at the east end of Jericho Beach in Point Grey.

1927   Approx. July 20 to September 10: painting in Garibaldi region north of Vancouver. Meets Emily Carr on November 9.

1928   Expresses intention of returning to Garibaldi, but there is no clear evidence to prove that he does.

1929   Second documented trip to Garibaldi. Accompanied by J.W.G. Macdonald, John Varley, and Ross Lort. Takes studio at Parakantas Studios, 1087 Bute Street.

1930   January: one man show at the Art Institute of Seattle. Teaches at the Art Institute during the summer.

Chronologie

1881	Naît le 2 janvier à Sheffield, en Angleterre
1892	S'inscrit à la Sheffield School of Art
1895	Obtient un diplôme en dessin de la lumière et de l'ombre (niveau élémentaire); modelage (niveau élémentaire)
1896	Obtient un diplôme en dessin d'imitation; dessin d'après le modèle vivant (niveau avancé); dessin à main levée (niveau avancé); technique du dégradé d'après les plâtres (niveau avancé)
1897	Obtient un diplôme en dessin d'imitation
1898	Reçoit comme prix la dispensation des frais de scolarité pour une année, d'une valeur de £9 6s. Obtient un diplôme en dessin d'imitation; dessin d'après nature; dessin d'imitation exécuté de mémoire
1899	Obtient un diplôme en peinture de natures mortes; peinture d'ornement; dessin d'après nature; dessin d'imitation; dessin de la lumière et de l'ombre; dessin d'après le modèle vivant; dessin à main levée
1900	S'inscrit à l'Académie Royale des Beaux-Arts, à Anvers, en Belgique. Habite 64 Crownstreet, à Borgerhout, près d'Anvers
1901	Obtient le deuxième prix en dessin d'après nature
1902	Reçoit le premier prix, médaille d'argent, pour peinture de la figure humaine; le premier prix, médaille d'argent, pour dessin de la figure humaine Habite 89 Klapdorp, à Anvers Retourne à Sheffield
v. 1903-08	Habite à Londres où il travaille comme illustrateur commercial; rend visite périodiquement à Sheffield. Prétend plus tard avoir fait des illustrations pour *London Magazine, Globe, Illustrated London News, Sphere, Sketch, Idler,* and *The Gentlewoman.* Jusqu'à présent, on n'a pu retrouver que les illustrations pour *The Gentlewoman* et pour *Sphere.*
1908	Déménage à Doncaster, à l'est de Sheffield, où Maud Pinder est institutrice. Travaille comme employé de bureau pour le chemin de fer
1909	Epouse Maud Pinder et retourne à Sheffield Naissance en août d'une fille, Dorothy. Semble avoir organisé des cours de dessin en plein air et avoir travaillé comme compositeur graphique pour le *Yorkshire Post*
1911-12	S'installe au 80, Brincliffe Edge Road; atelier situé au 63, rue Norfolk
1912	Naissance en mars d'un fils, John. S'embarque pour le Canada en juillet. Commence à travailler pour Grip Limited au début du mois d'août. Expose à l'E.N.C. Peu après, il commence à travailler pour Rous et Mann. En novembre, devient membre du "Arts & Letters Club." Etablit sa première demeure à Toronto, 119, avenue Summerhill
1913	Habite 22, rue Henry et 15, rue Cecil
1914	Passe le mois d'octobre à peindre dans le Parc Algonquin en compagnie de Tom Thomson, d'A.Y. Jackson, et d'Arthur Lismer. Emménage 229, Oakmount Road
1915	S'installe au 112, avenue Pacific Naissance en juillet de son deuxième fils, James
1916	Février: première exposition individuelle au "Arts & Letters Club"
1916-17	Un des trois membres du Jury d'examen à l'Ontario College of Art (autres membres: F. Challenger et J.E. Sampson)
1917	Les illustrations de Varley commencent à paraître dans le *Canadian Courier.* Habite 135, avenue Windermere et à Thornhill, au nord de Toronto.
1918	7 février: reçoit sa commission, avec le rang de capitaine honoraire, afin de peindre pour les Archives de guerre du Canada. S'embarque pour Glasgow, le 25 mars (voir le texte pour de plus amples renseignement)
1919	1er août: s'embarque pour le Canada. Loue un atelier dans The Studio Building, 25 rue Severn, à Toronto. Décembre: exposition individuelle au "Arts & Letters Club". Figure de nouveau comme un des trois membres du Jury d'examen de l'Ontario College of Art pour l'année 1919-20 (autres membres: J.E.H. MacDonald et J.E. Sampson). S'installe au 401, rue Carlton, à Toronto.
1920	31 mars: démobilisé. 7 mai: première exposition du Groupe des Sept au Toronto Art Museum. Passe la fin de l'été à la villa du Dr MacCallum dans la baie Georgienne où il peint en compagnie d'Arthur Lismer
1921	Naissance en mai de son troisième fils, Peter
1921-22	Un des trois membres du Jury d'examen de l'Ontario College of Art (autres membres: A.Y. Jackson et H.S. Palmer)
1922	Enseigne des cours d'été à Meadowvale pour l'Ontario College of Art. Achète une maison, 11, avenue Colin
1923	Perd la maison sise avenue Colin en manquant à ses paiements hypothécaires. Avec sa famille, il passe l'été à Bobcaygeon, au nord-est de Toronto. Aide J.E.H. MacDonald à faire des peintures murales pour St. Anne's Anglican Church, avenue Gladstone, à Toronto
1923-24	Fait des illustrations de livres pour Ryerson Press
1924	W.J. Phillips aide Varley à recevoir la commande d'un portrait à Winnipeg. Varley arrive à Winnipeg vers la mi-janvier. Ensuite, il se rend à Edmonton et séjourne brièvement à Calgary, et, de nouveau, à Winnipeg, avant de retourner à Toronto à la fin avril. S'installe à Toronto, au 66, Glenforest Road
1925-26	2 octobre: nommé à un poste d'enseignement à plein temps à l'Ontario College of Art. L'annuaire du Collège pour 1926-27 le donne comme "Instructeur de dessin d'imitation, de dessin et de peinture d'après le modèle drapé." S'établit au 3461, rue Yonge
1926	31 juillet: Varley accepte le poste d'instructeur de dessin et de peinture à la Vancouver School of Decorative and Applied Arts. Arrive à Vancouver au début de septembre. Loue une maison à Point Grey, 3857, Point Grey Road, à la limite est de Jericho Beach.
1927	20 juillet-10 septembre environ: peint dans la région Garibaldi, au nord de Vancouver. Le 9 novembre, fait la connaissance d'Emily Carr

1931	Moves studio to 603 Howe Street in autumn
1932	December 1-12: one man show at the Vancouver Art Gallery
1933	Varley and Macdonald leave the Vancouver School of Decorative and Applied Arts in the spring of 1933 and found the B.C. College of Arts. Varley is President.
1934	Varley and Macdonald take students of the B.C.C.A. to Garibaldi during the summer. Varley loses home on Point Grey Road for non-payment of rent, and moves several times during the year. Varley and wife separate, and Varley ends year living in the 4400 block Lynn Valley Road in North Vancouver.
1935	B.C. College of Arts closes at end of spring term due to financial difficulties.
1936	April 6: arrives in Ottawa to paint portrait of H.S. Southam, Chairman of the Board of The National Gallery. Returns to Vancouver for several weeks in the late summer. Goes back to Ottawa in late October to begin teaching at Ottawa Art Association. Moves into studio of photographer Alex Castonguay at 126a Sparks Street, upon his return.
1937	May: one man show at W. Scott and Sons in Montreal. Spends summer in Vancouver. One man show at James Wilson and Company, Ottawa, in November. Moves to 145 O'Connor upon his return.
1938	Sails to the Arctic on July 9 on the government supply ship Nascopie. Returns to Ottawa in late September. His eldest son, John, joins him shortly thereafter.
1939	Leaves the Ottawa Art Association at the end of the spring term. Does virtually no work all year. Drinking heavily and despondent. John returns to the West Coast in October.
1940	Begins to paint and draw again. Spends the summer at the cottage of Wing Commander C.J. Duncan on the Bay of Quinte, then moves to 201 Sherbrooke Street West in Montreal, where his expenses are paid for the next six months by an unknown benefactor.
1942	Makes three portraits of Canadian soldiers in Kingston in February for use in advertising by the federal government. Residence at 1419 Drummond Street, Montreal.
1943-44	Lives with Wing Commander C.J. Duncan and his wife during most of this period in their home at 130 Broadway Avenue in Ottawa.
1944	October 30-November 11: one man show at Eaton's Fine Art Galleries in Toronto. The exhibition is well received, and is reassembled for exhibit at Hart House, University of Toronto, in December. Varley decides to spend the winter in Toronto.
1946	Residence at 356 Bloor Street East, Toronto.
1948-49	Teaches at the Doon Summer School of Fine Arts in Doon, just south of Kitchener. Keeps a residence in Toronto at 56 Grenville Street.
1949	November 8: Allan Wargon contacts Varley about a film that he would like to make on the artist for the National Film Board. Varley returns to Toronto to discuss the project. Film is released in 1953.
1950	February 27-March 16: one man show at Eaton's Fine Art Galleries in Toronto.
1953	November: one man show at Victoria College, University of Toronto
1954	Travels to the Soviet Union in April with a group of other Canadian artists, writers and musicians. A retrospective exhibition is held at the Art Gallery of Toronto in October-November, then travels to The National Gallery of Canada, Montreal Museum of Fine Arts, and, in an abbreviated form, to Western Canada.
1955	Makes a painting trip to Cape Breton, Nova Scotia. Stops in St. Andrews East, Quebec, on the way back to Toronto, where he makes a portrait. Residence at 13 Lowther Avenue, Toronto, home of Mr. and Mrs. Donald McKay.
1956	February: one man show at Roberts Gallery in Toronto
1957	Makes first of several summer painting trips to the south-east corner of B.C. A one man show at Roberts Gallery in December.
1960	January: one man show at North York Public Library in Metropolitan Toronto. A second one man show at the Kitchener-Waterloo Art Gallery in November.
1961	January 5-18: one man show at Roberts Gallery. Receives an LL.D. from the University of Manitoba.
1962	April 6-18: one man show at Roberts Gallery
1964	April 12-May 17: retrospective exhibition at the Willstead Art Gallery in Windsor, Ontario. Awarded the Canada Council Medal for 1963.
1965	October 19-November 7: portrait exhibition at Hart House, University of Toronto.
1966	January 18-29: one man show at Roberts Gallery
1967	Last painting trip to B.C.
1969	September 8: dies

1928 Exprime son intention de retourner dans la région Garibaldi, mais il y a en réalité peu d'évidence qu'il l'ait fait

1929 Deuxième voyage (documenté) à la région Garibaldi, accompagné de J.W.G. MacDonald, John Varley et Ross Lort. Loue un atelier dans les "Parakantas Studios", 1087, rue Bute.

1930 Janvier: exposition individuelle à l'Art Institute of Seattle. Enseigne à l'Art Institute pendant l'été

1931 A l'automne, établit son atelier au 603 rue Howe

1932 1-12 décembre: exposition individuelle à la Vancouver Art Gallery

1933 Au printemps de 1933, Varley and MacDonald quittent la Vancouver School of Decorative and Applied Arts et fondent le B.C. College of Arts. Varley en est le président.

1934 Durant l'été, Varley et MacDonald emmènent des étudiants du B.C.C.A. dans la région Garibaldi. Varley perd sa maison dans Point Grey Road pour non-paiement du loyer; au cours de l'année, il déménage plusieurs fois. Varley et sa femme se séparent et, pendant le reste de l'année, Varley habite à North Vancouver, dans les numéros 4400 de Lynn Valley Road.

1935 A cause de difficultés financières, le B.C. College of Arts ferme ses portes après le semestre du printemps.

1936 6 avril: arrive à Ottawa où il peint le portrait de H.S. Southam, président du Conseil de la Galerie nationale. A la fin de l'été, il retourne à Vancouver et y passe plusieurs semaines. Vers la fin octobre, il retourne à Ottawa pour enseigner à l'Ottawa Art Association. Emménage dans l'atelier du photographe Alex Castonguay, 126a, rue Sparks

1937 Mai: exposition individuelle chez W. Scott and Sons, à Montréal. Passe l'été à Vancouver. En novembre, exposition individuelle chez James Wilson and Company, à Ottawa. Lors de son retour à Ottawa, il s'installe au 145, rue O'Connor.

1938 Le 9 juillet, il s'embarque pour l'Arctique à bord du vaisseau de ravitaillement du gouvernement, le "Nascopie". Vers la fin septembre, il retourne à Ottawa. Peu après, son fils aîné, John, le rejoint.

1939 A la fin du semestre du printemps, il quitte l'Ottawa Art Association. Ne fait presque rien de toute l'année. Boit beaucoup et se sent déprimé. En octobre, John retourne à la Côte Ouest.

1940 Se remet à peindre et à dessiner. Passe l'été à la villa du commandant d'escadre C.J. Duncan, dans la Baie de Quinte, puis s'installe au 201, ouest rue Sherbrooke, à Montréal, où, pendant les six mois suivants, un protecteur anonyme lui paie ses dépenses.

1942 En février, il peint trois portraits de soldats canadiens que le gouvernement fédéral veut employer dans sa publicité. Habite à Montréal, 1419, rue Drummond.

1943-44 Habite pendant la majeure partie de cette période à Ottawa, 130, avenue Broadway, chez le commandant d'escadre C.J. Duncan et sa femme.

1944 30 octobre-11 novembre: exposition individuelle aux Fine Arts Galleries, chez Eaton's, à Toronto. Cette exposition a du succès et, en décembre, on la rassemble pour une exposition à Hart House, Université de Toronto. Varley décide de passer l'hiver à Toronto.

1946 Habite à Toronto, 356, est rue Bloor.

1948-49 Enseigne à la Doon Summer School of Fine Arts, à Doon, juste au sud de Kitchener. Garde une résidence à Toronto, 56, rue Grenville.

1949 8 novembre: Allan Wargon se met en rapport avec Varley au sujet d'un film sur l'artiste qu'il voudrait tourner pour l'Office national du film. Varley retourne à Toronto pour discuter de ce projet. Le film sortira en 1953.

1950 27 février-16 mars: exposition individuelle aux Fine Art Galleries, chez Eaton's, à Toronto

1953 Novembre: exposition individuelle à Victoria College, Université de Toronto

1954 En avril, il voyage en Union Soviétique avec un groupe d'autres artistes, écrivains et musiciens canadiens. En octobre-novembre, une rétrospective a lieu à l'Art Gallery of Toronto; l'exposition voyage ensuite à la Galerie nationale du Canada et au Musée des beaux-arts de Montréal, puis, sous forme réduite, dans l'Ouest du Canada.

1955 Fait un voyage au Cap Breton, en Nouvelle-Ecosse, afin d'y peindre. En retournant à Toronto, il s'arrête à St. Andrews East, au Québec, où il peint un portrait. Habite à Toronto, 13, avenue Lowther, chez M. et Mme Donald McKay

1956 Février: exposition individuelle à Toronto, à la Roberts Gallery

1957 Fait le premier de plusieurs voyages d'été au coin sud-est de la Colombie-Britannique. En décembre, exposition individuelle à la Roberts Gallery

1960 Janvier: exposition individuelle à Toronto, à la North York Public Library. Une seconde exposition individuelle a lieu en novembre à la Kitchener-Waterloo Art Gallery.

1961 5-18 janvier: exposition individuelle à la Roberts Gallery. L'Université du Manitoba le nomme docteur en droit honoris causa (LL.D.).

1962 6-18 avril: exposition individuelle à la Roberts Gallery

1964 12 avril-17 mai: rétrospective à Windsor, en Ontario, à la Willistead Art Gallery. Le Conseil des Arts du Canada lui décerne sa Médaille pour 1963.

1965 19 octobre-7 novembre: exposition de portraits à Hart House, Université de Toronto

1966 18-29 janvier: exposition individuelle à la Roberts Gallery

1967 Dernier voyage en Colombie-Britannique pour y peindre

1969 8 septembre: mort de Varley

Selected Bibliography

The most important sources of information on F.H. Varley are his letters, and the most important source of these is the collection compiled by the artist's son, Peter Varley. He possesses photocopies or the original correspondence that Varley sent to Maud Varley, Ethel Varley, Jim Varley, John Varley, Peter Varley, Milton Blackstone, Jess Crosby, Len and Billie Pike, and some of Varley's correspondence to Harold Mortimer-Lamb. The Archives of The National Gallery possesses Varley's correspondence with Eric Brown and H.O. McCurry, as well as some miscellaneous correspondence, such as the artist's letters to Dr. James MacCallum. In addition, it holds important letters to and from John Vanderpant and Louis Muhlstock concerning Varley. The Archives of The Edmonton Art Gallery possesses all the letters from Varley to Vera Weatherbie (later Mortimer-Lamb) that are presently known, as well as photocopies of important letters to Elizabeth Gowling and Margaret Williams. The Archives of the McMichael Canadian Collection, Kleinburg, has Varley's letters to Dr. A.D.A. Mason, and Arthur Lismer, as well as most of the artist's letters to Harold Mortimer-Lamb. Most of the correspondence concerning the artist's trip to the Arctic can be found in the Public Archives of Canada, and the FitzGerald Centre at the University of Manitoba possesses one important letter to LeMoine FitzGerald from 1934. Philip Surrey has several letters written to him by the artist, and Anna Ackroyd has the original copies of Varley's letters to John Vanderpant.

An extensive bibliography of Varley can be found in Dennis Reid, *A Bibliography of the Group of Seven*, The National Gallery of Canada, 1971, pp. 43-44.

Other Reading/A consulter

Amess, Fred A.; "Varley", text of a "talk given to the students" of the Vancouver School of Art, 1955. Archives of The National Gallery of Canada./"Varley", texte d'une "conférence donnée aux étudiants" de la Vancouver School of Art, 1955. Archives de la Galerie nationale du Canada.

"Art Institute Classes Claim Much Attention: Students in Portrait Work Progressing Under Tutelage of Noted Canadian Painter", Unidentified clipping (July 1930) in the Archives of the Seattle Art Museum./Coupure de presse non identifiée (juillet 1930) aux Archives du Seattle Art Museum.

"Art is Defined by Lecturer", *Bulletin* (Edmonton), March 24/24 mars 1924.

Ayre, Robert; "Varley Opens Up the West Coast and Suggests Other Dimensions", *Gazette* (Montréal), May 29/29 mai 1937.

Bridle, Augustus; "Canadian Artists to the Front", *Canadian Courier*, vol. 23, no. 10, February 16/16 février 1918.

Buchanan, Donald W.; "The Paintings and Drawings of F.H. Varley", *Canadian Art*, vol. 7, no. 1, October/octobre 1949.

Carpenter, Edmund; "Frederick Varley", In Robert Flaherty, ed./Dans Robert Flaherty, éd., *Eskimo*, University of Toronto Press (Toronto), 1959.

_____. "Varley's Arctic Sketches", *Canadian Art*, vol. 16, no. 2, May/mai 1959.

Carroll, Jock; "This is an Artist's Life", *Weekend Magazine*, vol. 5, no. 1, 1955.

Duval, Paul; "Vigorous Veteran of Canadian Art... Frederick Horsman Varley", *Saturday Night*, December 18/18 décembre 1944.

Elliott, George; "F.H. Varley—Fifty Years of His Art", *Canadian Art*, vol. 12, no. 1, Autumn/automne 1954.

Fairley, Barker; "Canadian War Pictures", *Canadian Magazine*, vol. 54, November/novembre 1919.

_____. "Some Canadian Painters: F.H. Varley", *The Canadian Forum*, vol. 2, no. 19, April/avril 1922.

_____. "F.H. Varley", In R.I. McDougal, ed./Dans R.I. McDougal, éd., *Our Living Tradition*, University of Toronto Press (Toronto), 1959.

Hill, Charles C.; *Canadian Painting in The Thirties* (exhibition catalogue/catalogue de l'exposition), The National Gallery of Canada/La Galerie nationale du Canada, 1975.

"'Humbugs; Illusions': F.H. Varley's Defense of Western Art", *Sun* (Vancouver), February 18/18 février 1933.

Lee, Rupert; "Canadian Pictures at Wembley", *The Canadian Forum*, vol. 4, no. 47, August/août 1924.

Bibliographie choisie

Les principales sources d'information sur F.H. Varley sont ses lettres, dont la collection la plus importante est celle que son fils, Peter Varley, a assemblée. Il a en sa possession des photocopies ou les lettres originales que l'artiste a adressées à Maud Varley, à Ethel Varley, à Jim Varley, à John Varley, à Peter Varley, à Milton Blackstone, à Jess Crosby et à Len et Billie Pike, aussi bien qu'une partie de la correspondance entre Varley et Harold Mortimer-Lamb. Les Archives de la Galerie nationale possèdent la correspondance entre Varley et Eric Brown, la correspondance entre Varley et H.O. McCurry, et diverses lettres, telles que celles que l'artiste a adressées au Dr James MacCallum. On y trouve en plus des lettres importantes concernant Varley, soit adressées à John Vanderpant et à Louis Muhlstock, soit portant leur signature. Les Archives de l'Edmonton Art Gallery possèdent toutes les lettres connues à date que Varley a adressées à Vera Weatherbie (plus tard Mme Mortimer-Lamb), aussi bien que des photocopies de lettres importantes adressées à Elizabeth Gowling et à Margaret Williams. Les Archives de la McMichael Canadian Collection, à Kleinburg, ont les lettres de Varley au Dr A.D.A. Mason et à Arthur Lismer, aussi bien que la plupart des lettres adressées par l'artiste à Harold Mortimer-Lamb. La plus grande partie de la correspondance concernant le voyage du peintre dans l'Arctique se trouve aux Archives publiques du Canada; et le Centre FitzGerald de l'Université du Manitoba possède une lettre importante adressée à Lemoine FitzGerald en 1934. Philip Surrey a en sa possession plusieurs lettres qu'il a reçues de Varley; et Anna Ackroyd est propriétaire des copies originales des lettres que Varley a adressées à John Vanderpant.

Une bibliographie plus ample d'écrits portant sur Varley se trouve dans l'ouvrage de Dennis Reid, *A Bibliography of the Group of Seven*, La Galerie nationale du Canada, 1971, pp. 43-44.

Lennie, Beatrice; "Memories of The Early Years: 'We were all so alive.'", *Open House*, Emily Carr College of Art, Vancouver, October 4-5/4-5 octobre 1980.

McCarthy, Pearl; "Varley of Today Mature in Power", *Globe & Mail* (Toronto), November 4/4 novembre 1944.

Mellen, Peter; *The Group of Seven*, McClelland and Stewart (Toronto), 1970.

Porter, McKenzie; "Varley", *MacLean's*, vol. 72, no. 23, 1959.

"Northwest Is Praised As Art Field: Frederick H. Varley Lauds This Section as Location Rivalling Best in Europe", Unidentified clipping (July 1930) in the Archives of the Seattle Art Museum/coupure de presse non identifiée (juillet 1930) aux Archives du Seattle Art Museum.

Reid, Dennis; *The Group of Seven* (exhibition catalogue/catalogue de l'exposition), The National Gallery of Canada/La Galerie nationale du Canada (Ottawa), 1970.

Saltmarche, Kenneth; *F.H. Varley Retrospective 1964* (exhibition catalogue/catalogue de l'exposition), Willistead Art Gallery of Windsor, April 12-May 17/12 avril-17 mai 1964.

"Sees Vision of Golden Age of Expression on the Horizon", *Journal* (Edmonton), March 27/27 mars 1924.

Stansfield, Herbert H.; "Portraits at The O.S.A.", *The Canadian Forum*, vol. 5, no. 56, May/mai 1925.

Torey, H.E.; "Where East Meets West", *Saturday Night*, April 21/21 avril 1934.

Varley, Christopher; *Varley: The Middle Years* (exhibition catalogue/catalogue de l'exposition), Burnaby Art Gallery, May 1-June 2/1 mai-2 juin 1974.

———. *Coasts, the Sea, and Canadian Art* (exhibition catalogue/catalogue de l'exposition), The Gallery/Stratford (Stratford), 1978.

———. *F.H. Varley*, Canadian Artists Series No. 6, The National Gallery of Canada/Collection: Artistes canadiens, no. 6, La Galerie nationale du Canada, 1979.

Varley, F.H.; "Room 27 Speaking", *The Paint Box*, Vancouver School of Decorative and Applied Arts, June/juin 1927.

———. untitled article/article sans titre, *The Paint Box*, Vanvouver School of Decorative and Applied Arts, 1928.

"Varley Says City Could Lead in Art Field", *Evening Journal* (Ottawa), October 24/24 octobre 1936.

F.H. Varley: Paintings 1915-1954 (exhibition catalogue/catalogue de l'exposition), Art Gallery of Toronto, October-November/octobre-novembre 1954.